68 Black-line Masters

Spanish Verbs and Vocabulary Bingo Games

Barbara Snyder

Foreign Language Dept.
Green Run High School
Virginia Beach, Va.

National Textbook Company
NTC a division of *NTC Publishing Group* • Lincolnwood, Illinois USA

To the teacher:
The blackline masters in this book
are designed to be photocopied for
classroom use only.

1997 Printing

Published by National Textbook Company, a division of NTC Publishing Group.
©1991 by NTC Publishing Group, 4255 West Touhy Avenue,
Lincolnwood (Chicago), Illinois 60646-1975 U.S.A.
Manufactured in the United States of America.
    7 8 9 VP 9 8 7 6 5 4 3

Contents

Part II: Verbs   **Master Number**

To the Teacher

Most students really enjoy the opportunity to engage in game playing and competition in the classroom—especially when there are many chances to win! Foreign language students are no exception, and the challenge of successfully participating in a competitive endeavor is all the more interesting when it is met in the second language.

The purpose of the games in this book is to make learning and mastery of Spanish vocabulary and verbs easier and more interesting. The games are uniquely designed to ensure active student participation through a process that focuses their attention and thoughts on the information to be mastered.

These particular games are designed for the average second year class, and it is assumed that the students have mastered a part of the materials covered in the book during the first year of language study. Although designed for the second level, the games can be used effectively for review at higher levels through an adaptation of the game process.

It should be emphasized that these games focus on vocabulary and verb mastery. Grammar and usage are not the goals of this book and must be taught by other processes and activities. Nevertheless, the vocabulary and verbs learned can be used as a basis for other activities, such as those designed to teach conversation and composition skills.

Using the games

In these bingo games, students fill in their own cards and must do some preparatory study before they play the game in class. The procedure for the games in *Part I: Vocabulary* differs slightly from that for *Part II: Verbs.*

Part I: Vocabulary. There are two components to each game. The first is a study list, entitled Vocabulario, which contains all the words that will be encountered in a specific game category. The Spanish words are followed by their English definitions. Each list is numbered and labeled to correspond to a game sheet. Assign the study list as homework, for example, a day or two before the game will be played in class.

The second component is the Lotería (bingo) card, which contains a blank grid and the Spanish words from the study list. Students will fill in their grids, following the directions given in the *To the Students* section of these general instructions. You should allow approximately five minutes of class time for the students to fill in the grids, although time might vary from class to class. Please note that there are no study lists for the number bingo games, since these games are not played with written vocabulary.

The teacher, acting as the caller, now gives the clues. These might be a translation of the word, a definition of the word in Spanish or a sentence clue. An example of a translation clue (from Game 9) is "bookstore." An example of a definition in Spanish is "Una tienda donde se compran libros." An example of a sentence clue is "Uno puede comprar libros en..." A student who has written "librería" on his or her card would mark that square in response to any of these clues. Since these games may be played several times each, the various types of clues may be used for different games. The teacher might also want to combine definition clues and sentence clues in some games.

Part II: Verbs. The teacher should make sure that the students know the meaning of each verb in the game being played.

First, the students should fill in the cards as an assignment for class, following the directions given in the *To the Students* section in these general instructions. If this is done in class, the teacher should allow approximately five minutes, although time varies from class to class.

The teacher, acting as the caller, now gives the clues. These might be the translation of the verb or the infinitive and person-number of the verb. An example of a translation clue (from Master 37) is "he buys." An example of an infinitive plus person-number clue is "comprar—él." A student who has written "compra" on the game card would mark that square in response to either of these clues. Since these games may be played several times each, both types of clues may be used, one for the first game, and the other for the second game, for example.

The teacher should take a blank sheet for each game and call clues at random, taking care to mark those words that have been called as clues. When a student has marked five squares in a row (horizontally, vertically, or diagonally) and called out "Lotería," "bingo" in Spanish, the student should be asked to read back the words marked. If the student's words have all been called as indicated on the teacher's check sheet, then that student has won the game. Of course, the same game may be continued until another student wins second place, if the teacher wishes to do so. When the game is played near the end of the class period, continuing may be a better use of the last two or three minutes of the period than to begin another game that cannot be finished.

The teacher should allow at least ten minutes per game, although a game is often won in less time. If a winner occurs in, for example, seven minutes, the game should be continued for a second and/or third place winner. If a winner occurs in five minutes, as may happen with a large class, the teacher must use his or her judgment as to whether to begin a new game or continue with the one being played. In general, either a larger number of students playing, or a smaller choice of words from which the student may select, will result in a shorter game. A game with sixty choices will usually be won faster than a game with eighty choices.

Suggestions for prizes

A. Extra credit points: Giving extra credit works best with senior high school students and classes in which the students are highly grade motivated.

B. Privilege points: These points for winning may be exchanged for such privileges as doing a shorter homework assignment, making up a test late, running your errands for a day or a week, etc. Compile a list of privileges that students in your class will genuinely want to win.

C. Everyday prizes from a prize box: Fill a box with such items as used, but still good pencils, stamps and coins from another country, cereal box prizes, and any other free or almost free items that a student might choose as a prize. The prize box works better with younger students, either in the junior high school or the ninth or tenth grade of high school.

D. Grand prizes for accumulation of winning games. Spanish Club funds might be used to purchase such prizes as gift certificates, tickets to a school movie or game, candy bars, or other relatively inexpensive items.

E. "Funny money": Hand out your own self-designed pesos or pesetas. With a certain accumulation of this money, winners can buy any of the above (extra-credit, privileges, everyday prizes, or grand prizes). If funny money is used, it can also be given out for other reasons such as an A on a test, perfect attendance for a week, all homework done for a week, and similar accomplishments.

Suggestions for adapting the games

These games have been designed for the most comprehensive usage. It is hoped that the vocabulary items you need are included. However, if a word in your textbook is not included, and if you believe that the students would benefit by including that word, substitutions are encouraged. Tell the students to cross out a word that is listed, and to substitute the word that you desire to add. Several substitutions may be made per game up to the point at which you feel that your students might be confused by them. Master No. 36 is a blank vocabulary card for teacher or student use in constructing an original game list.

Teachers may also wish to adapt these games for a class that is slower in some areas. If you feel that the number of items included in one game is too many for a class to handle, tell the students to cross out items that you wish to omit. These games may be played with as few as thirty-five to forty items, although the game will end much sooner, and there is a greater chance of tie games. If you cut the number of items to thirty-five or forty words, you might consider playing a longer game by playing until the first student has covered the entire card instead of just five in a row. Because there are many fewer items, it is advisable *not* to play for second place.

To the Students

Lotería (Spanish bingo) is an entertaining and interesting game designed to help you master Spanish vocabulary in an easy way.

Before you actually play the game in Part I, your teacher will give you a vocabulary study list which contains the game words you will use in Spanish and their English definitions. Study your list—it really isn't difficult, and your preparation will help you become a winner!

The games are played like normal bingo games. After you have filled in your card following the directions given below, your teacher will call clues. If one of the words on your card is the "answer" to this clue, you mark that square, again following the directions given. When you have five squares in a row, marked either vertically, horizontally or diagonally, call out ¡LOTERIA! ("Bingo!" in Spanish). Read the five "answers" back to the teacher, and if they are correct, you have won the game.

How to fill in your card

1. Select any five words at random from the *first* column of words given above the card. Write those five words at random in the five squares in the *first* column of the card. Write the word across the middle of the blank square.

2. Select any five words at random from the *second* column of words given above the card, and write them at random in the five blanks in the *second* column of the card. Write the word across the middle of the blank square.

3. Continue to follow the same directions for the third, fourth and fifth columns. Your card will be completely filled out and you will be ready to play.

How to mark your card

Your teacher will call clues to play the game. If one of the words on your card is the "answer" to that clue, mark the square on your card.

1. To play the first game with the card, *mark a small star* (★) in the upper right-hand corner of the square which contains the answer to the clue given by the teacher. When you have five stars in a row, call ¡LOTERIA!

2. To play the second game using the same card, *make a check mark* (✓) in the lower left-hand corner of the square which contains the answer to the clue given by the teacher. When you have five check marks in a row, call ¡LOTERIA!

3. To play a third game using the same card, *circle the word* which is the answer to the clue given by the teacher. When you have five words in a row circled, call ¡LOTERIA!

4. To play a fourth game using the same card, *mark a large X* through the square which contains the answer to the clue given by the teacher. Mark the X neatly so that you can still read the word underneath. When you have five squares in a row marked with an X, call ¡LOTERIA!

Suggestions for winning

1. A. For the games in Part I: Study the vocabulary list before you play, so that you are familiar with the answers. First, make sure that you know the meaning of the vocabulary words in English. Second, make sure you know the Spanish word for each English definition. Finally, it helps to be familiar with the vocabulary word as it would be used in a sentence.

B. For the games in Part II: All the verbs you will need to know are at the top of the page. Study these verbs before you play, so that you are familiar with the answers. First, make sure that you know the meaning of each verb form. Second, be familiar with the verb endings.

2. Listen carefully to the clues so that you mark the correct "answer" on your card. If, for example, you mark the square for the word "be" instead of the word for "see," there is less chance of your winning.

3. Mark you card neatly. If you can't tell the difference between your checks and stars, you might not notice that you have five answers in a row marked.

¡Buena suerte!

Part I: Vocabulary

1. Vocabulario: La Gente

abuela *grandmother*
abuelo *grandfather*
americano *American*
amiga *female friend*
amigo *male friend*
argentina *Argentinean*
bebé *baby*
bisabuelos *great-grandparents*
biznietos *great-grandchildren*
boliviano *Bolivian*
colombiana *Colombian*
compañero *companion*
costarricense *Costa Rican*
cubana *Cuban*
chicana *Mexican-American*
chileno *Chilean*
dominicano *from the Dominican Republic*
ecuatoriana *Ecuadorian*
enemigo *enemy*
español *Spanish*

esposa *wife*
guatemalteca *Guatemalan*
hermana *sister*
hermano *brother*
héroe *hero*
heroína *heroine*
hija *daughter*
hijo *son*
hombre *man*
hondureño *Honduran*
joven *young person, youth*
madre *mother*
marido *husband*
mexicana *Mexican*
muchacha *girl*
muchacho *boy*
mujer *woman*
nadie *no one*
nicaragüense *Nicaraguan*
nieta *granddaughter*
nieto *grandson*

novia *girlfriend, fiancée*
novio *boyfriend, fiancé*
padre *father*
panameña *Panamanian*
paraguayo *Paraguayan*
peruana *Peruvian*
primo *cousin*
puertorriqueño *Puerto Rican*
salvadoreña *from El Salvador*
santo *saint*
señor *Mr.; Sir; Lord*
señora *Mrs.; older woman, ma'am*
señorita *Miss; younger woman*
sobrina *niece*
sobrino *nephew*
tía *aunt*
tío *uncle*
uruguaya *Uruguayan*
venezolano *Venezuelan*

2. Vocabulario: La Escuela

aburrido *bored, boring*
altavoz *loudspeaker*
alumno *student*
anuario *yearbook*
arte *art*
asignatura *course*
ayudante *aide*
banda *band*
bandera *flag*
borrador *eraser*
cafetería *cafeteria*
clase *class*
cesto *basket*
ciencia *science*
cinta *tape*
clínica *clinic*
club *club*
colegio *academic high school*
consejero *advisor, counselor*
coro *choir*
corredor *hall, corridor*

cuaderno *notebook*
deportes *sports*
difícil *difficult, hard*
director *principal*
entrenador *coach*
fácil *easy*
fin de semana *weekend*
gimnasio *gym*
graduación *graduation*
historia *history*
idioma extranjero *foreign language*
inglés *English*
interesante *interesting*
lápiz *pencil*
lección *lesson*
libro *book*
maestro *teacher*
mapa *map*
matemáticas *math*
oficina *office*

página *page*
papel *paper*
periódico *newspaper*
pizarrón *board*
pluma *pen*
pregunta *question*
prueba *quiz*
pupitre *student desk*
regla *ruler, rule*
reloj *clock*
respuesta *answer*
ropero *locker*
sacapuntas *pencil sharpener*
sala de clase *classroom*
secundaria *secondary school*
tarea *task, homework*
timbre *bell*
tiza *chalk*
vacaciones *vacation*

LOTERIA

1. La Gente

abuela	costarricense	héroe	mujer	puertorriqueño
abuelo	cubana	heroína	nadie	salvadoreña
americano	chicana	hija	nicaragüense	santo
amiga	chileno	hijo	nieta	señor
amigo	dominicano	hombre	nieto	señora
argentina	ecuatoriana	hondureño	novia	señorita
bebé	enemigo	joven	novio	sobrina
bisabuelos	español	madre	padre	sobrino
biznietos	esposa	marido	panameña	tía
boliviano	guatemalteca	mexicana	paraguayo	tío
colombiana	hermana	muchacha	peruana	uruguaya
compañero	hermano	muchacho	primo	venezolano

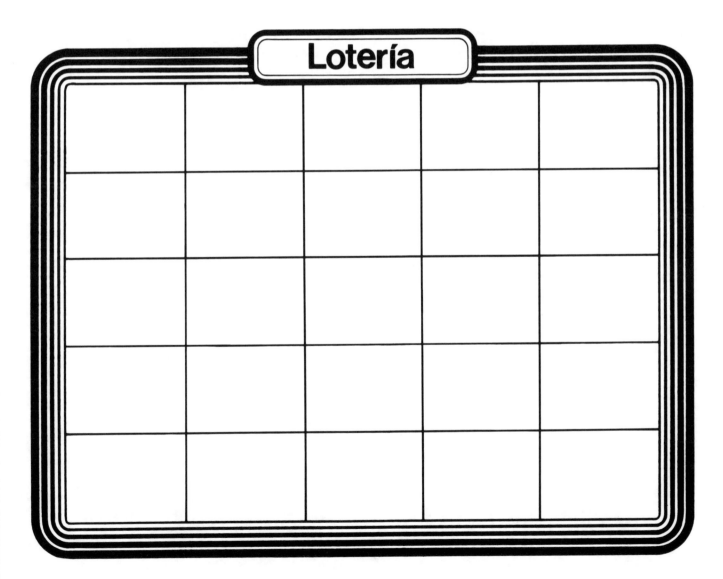

Lotería

Master 2

Name _____ Date_____

LOTERIA

2. La Escuela

aburrido	cesto	director	libro	pupitre
altavoz	ciencia	entrenador	maestro	regla
alumno	cinta	fácil	mapa	reloj
anuario	clínica	fin de semana	matemáticas	respuesta
arte	club	gimnasio	oficina	ropero
asignatura	colegio	graduación	página	sacapuntas
ayudante	consejero	historia	papel	sala de clase
banda	coro	idioma extranjero	periódico	secundaria
bandera	corredor	inglés	pizarrón	tarea
borrador	cuaderno	interesante	pluma	timbre
cafetería	deportes	lápiz	pregunta	tiza
clase	difícil	lección	prueba	vacaciones

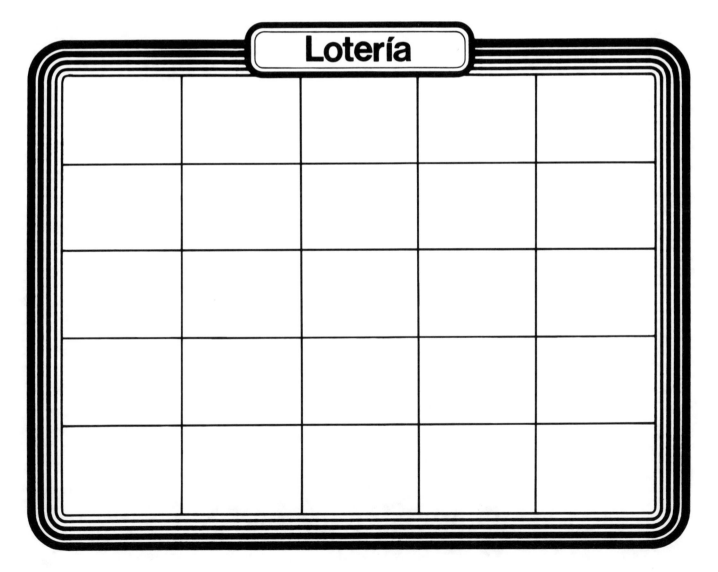

Lotería

3. Vocabulario: La Comida

agria   *sour*
agua   *water*
al horno   *baked*
arroz   *rice*
asada   *roasted, roast*
atún   *tuna*
azúcar   *sugar*
bebidas   *drinks*
bolillos   *rolls*
café   *coffee*
caliente   *hot (temperature)*
carne   *meat, beef*
cebolla   *onion*
chile   *chili, red pepper*
cordero   *lamb*
crema   *cream*
cruda   *raw*
dulce   *sweet, piece of candy*
ensalada   *salad*
fideos   *noodles*
flan   *custard*
fresas   *strawberries*

fresca   *fresh*
fría   *cold*
frita   *fried*
frutas   *fruits*
galletas   *cookies, crackers*
gelatina   *gelatin, Jello*
guisantes   *peas*
hamburguesas   *hamburgers*
helado   *ice cream*
huevos   *eggs*
jamón   *ham*
jugo   *juice*
leche   *milk*
lechuga   *lettuce*
legumbres   *vegetables*
limonada   *lemonade*
mantequilla   *butter*
manzanas   *apples*
mayonesa   *mayonnaise*
mostaza   *mustard*
naranjas   *oranges*
pan   *bread*

pan tostado   *toast*
papas   *potatoes*
pasteles   *pastries, cakes*
pescado   *fish*
pimienta negra   *black pepper*
plátanos   *bananas*
pollo   *chicken*
postre   *dessert*
puerco   *pork*
queso   *cheese*
refrescos   *refreshments*
sabrosa   *delicious, tasty, savory*
sal   *salt*
salsa de tomate   *ketchup*
sopa   *soup*
té   *tea*
ternera   *veal*
tocino   *bacon*
tomate   *tomato*
uvas   *grapes*
zanahorias   *carrots*

4. Vocabulario: Animales

abeja   *bee*
águila   *eagle*
araña   *spider*
ballena   *whale*
bestia   *beast*
bicho   *insect, bug*
bravo   *wild, ferocious; brave*
burro   *burro*
caballo   *horse*
cabra   *goat*
camello   *camel*
canario   *canary*
pez dorado   *goldfish*
cebra   *zebra*
cerdo   *pig*
ciervo   *deer*
cobarde   *coward, cowardly*
conejo   *rabbit*
cucaracha   *cockroach*
culebra   *snake*

dócil   *docile, tame*
doméstico   *domesticated, tame*
elefante   *elephant*
enorme   *enormous, huge*
espantoso   *frightful, terrifying*
feroz   *ferocious*
fiera   *wild animal*
gato   *cat*
gusano   *worm*
hipopótamo   *hippo*
hormiga   *ant*
jirafa   *giraffe*
león   *lion*
leopardo   *leopard*
lobo   *wolf*
loro   *parrot*
mariposa   *butterfly*
mono   *monkey*
mosca   *fly*
oso   *bear*

oveja   *sheep*
pájaro   *bird*
paloma   *dove*
pantera   *panther*
pato   *duck*
pavo   *turkey*
peligroso   *dangerous*
perro   *dog*
pollo   *chicken*
rana   *frog*
ratón   *mouse*
reno   *reindeer*
rinoceronte   *rhinoceros*
salvaje   *savage, wild*
tiburón   *shark*
tigre   *tiger*
tímido   *timid, scared*
toro   *bull*
tortuga   *turtle*
vaca   *cow*

LOTERIA

3. La Comida

agria	cordero	galletas	manzanas	puerco
agua	crema	gelatina	mayonesa	queso
al horno	cruda	guisantes	mostaza	refrescros
arroz	chile	hamburguesas	naranjas	sabrosa
asada	dulce	helado	pan	sal
atún	ensalada	huevos	pan tostado	salsa de tomate
azúcar	fideos	jamón	papas	sopa
bebidas	flan	jugo	pasteles	té
bolillos	fresas	leche	pescado	ternera
café	fresca	lechuga	pimienta negra	tocino
caliente	fría	legumbres	plátanos	tomate
carne	frita	limonada	pollo	uvas
cebolla	frutas	mantequilla	postre	zanahorias

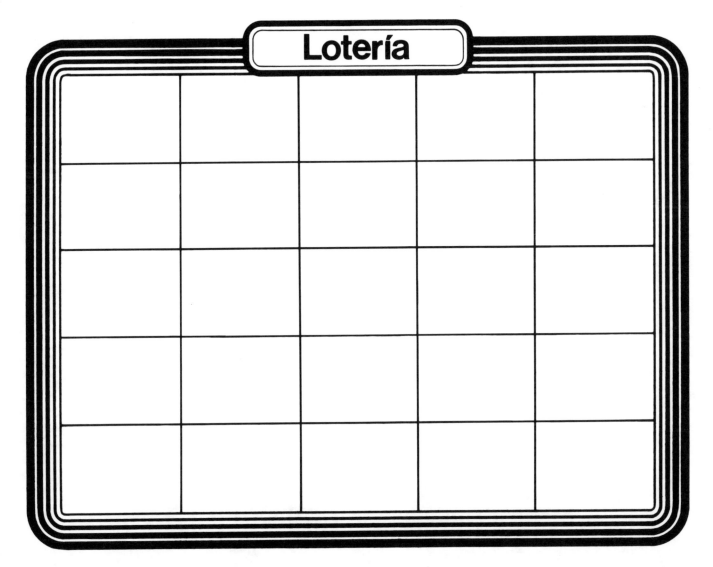

Lotería

LOTERIA

4. Animales

abeja	pez dorado	espantoso	mariposa	pollo
águila	cebra	feroz	mono	rana
araña	cerdo	fiera	mosca	ratón
ballena	ciervo	gato	oso	reno
bestia	cobarde	gusano	oveja	rinoceronte
bicho	conejo	hipopótamo	pájaro	salvaje
bravo	cucaracha	hormiga	paloma	tiburón
burro	culebra	jirafa	pantera	tigre
caballo	dócil	león	pato	tímido
cabra	doméstico	leopardo	pavo	toro
camello	elefante	lobo	peligroso	tortuga
canario	enorme	loro	perro	vaca

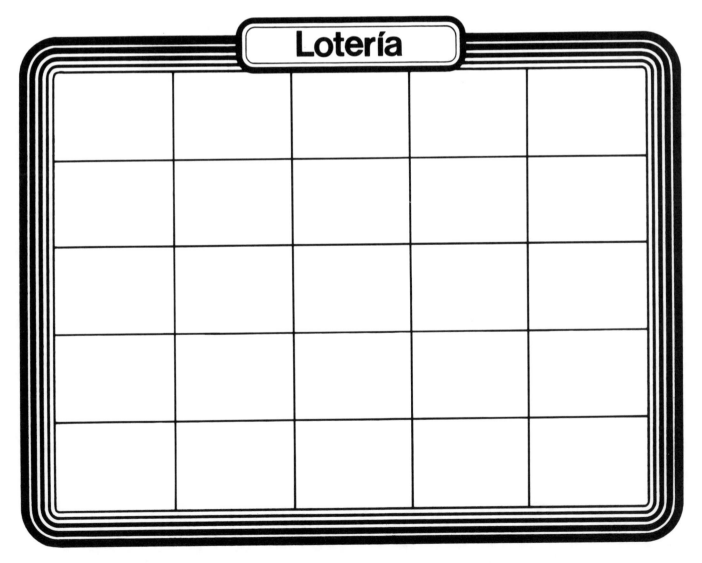

Lotería

Master 6

5. Vocabulario: La Ropa

a cuadros *checked, plaid*
abrigo *coat, overcoat*
algodón *cotton*
amarillo *yellow*
anaranjado *orange*
apretado *tight*
azul *blue*
bata *bathrobe*
blanco *white*
blusa *blouse*
bolsa *purse, bag*
bordado *embroidered*
botas *boots*
bufanda *scarf (for warmth)*
calcetines *socks*
camisa *shirt*
castaño *brown, chestnut*
cinturón *belt*
claro *light-colored*
corbata *tie*

corto *short*
chaqueta *jacket*
de moda *fashionable, in style*
deportivo *for sports*
elegante *elegant*
exagerado *extreme*
falda *skirt*
gorra *cap*
gris *gray*
guantes *gloves*
impermeable *raincoat*
lana *wool*
largo *long*
limpio *clean*
medias *stockings, hosiery*
morado *purple*
negro *black*
nuevo *new*
oscuro *dark-colored*
pantalones *pants, slacks*

pañuelo *handkerchief, scarf*
pijamas *pajamas*
playera *tee shirt*
rojo *red*
ropa interior *underclothes*
rosado *pink*
seda *silk*
sencillo *simple, plain*
sombrero *hat*
sucio *dirty*
sudadera *sweat shirt*
suelto *loose*
suéter *sweater*
traje *suit*
traje de baño *bathing suit*
uniforme *uniform*
verde *green*
vestido *dress*
viejo *old*
zapatos *shoes*

6. Vocabulario: El Cuerpo Humano

alto *tall*
bajo *short*
barba *chin*
bigote *mustache*
boca *mouth*
brazo *arm*
cabeza *head*
calvo *bald*
cara *face*
cejas *eyebrows*
cerebro *brain*
cicatriz *scar*
cintura *waist*
codo *elbow*
corazón *heart*
cráneo *skull*
cuello *neck*
cuerpo *body*
cutis *skin*
dedos *fingers*

dedos del pie *toes*
dientes *teeth*
entrañas *insides*
espalda *back*
esqueleto *skeleton*
estómago *stomach*
flaca *thin*
frente *forehead*
garganta *throat*
gorda *fat*
hombro *shoulder*
hueso *bone*
labios *lips*
lágrimas *tears*
lengua *tongue*
mano *hand*
mediano *medium-sized*
mejillas *cheeks*
muñeca *wrist*
músculo *muscle*

nalgas *buttocks*
nariz *nose*
nudillo *knuckle*
oídos *ears*
ojos *eyes*
párpados *eyelids*
pecho *chest*
pelo *hair*
pestañas *eyelashes*
pie *foot*
pierna *leg*
pulgar *thumb*
pulmones *lungs*
puño *fist*
rodilla *knee*
sangre *blood*
sesos *brains*
talón *heel*
tobillo *ankle*
uña *nail*

LOTERIA

5. La Ropa

a cuadros	botas	elegante	negro	sombrero
abrigo	bufanda	exagerado	nuevo	sucio
algodón	calcetines	falda	oscuro	sudadera
amarillo	camisa	gorra	pantalones	suelto
anaranjado	castaño	gris	pañuelo	suéter
apretado	cinturón	guantes	pijamas	traje
azul	claro	impermeable	playera	traje de baño
bata	corbata	lana	rojo	uniforme
blanco	corto	largo	ropa interior	verde
blusa	chaqueta	limpio	rosado	vestido
bolsa	de moda	medias	seda	viejo
bordado	deportivo	morado	sencillo	zapatos

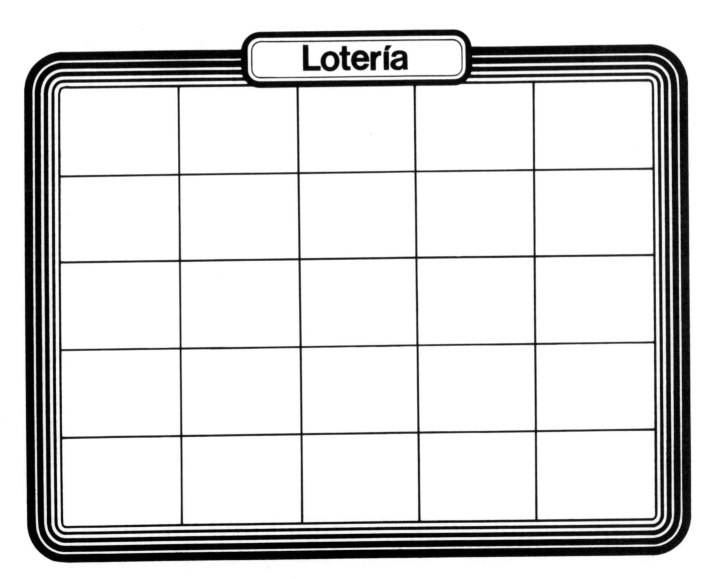

Lotería

Master 8

LOTERIA

6. **El Cuerpo Humano**

alto	cintura	esqueleto	mediano	pestañas
bajo	codo	estómago	mejillas	pie
barba	corazón	flaca	muñeca	pierna
bigote	cráneo	frente	músculo	pulgar
boca	cuello	garganta	nalgas	pulmones
brazo	cuerpo	gorda	nariz	puño
cabeza	cutis	hombro	nudillo	rodilla
calvo	dedos	hueso	oídos	sangre
cara	dedos del pie	labios	ojos	sesos
cejas	dientes	lágrimas	párpados	talón
cerebro	entrañas	lengua	pecho	tobillo
cicatriz	espalda	mano	pelo	uña

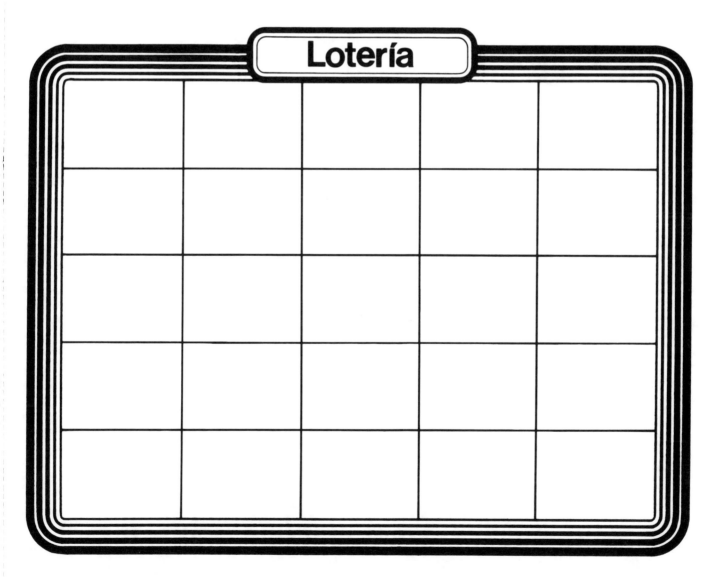

Lotería

7. Vocabulario: ¿Cómo está?

aburrida *bored*
agitada *upset*
agradecida *thankful*
animada *animated, lively*
aprobada *passed, approved*
asustada *frightened, scared*
ausente *absent*
avergonzada *ashamed*
bien *fine*
borracha *drunk*
calmada *calm, quiet*
callada *quiet, silent*
cansada *tired*
celosa *jealous*
contenta *happy, content*
deprimida *depressed*
desanimada *discouraged*
desesperada *desperate, without hope*
deshecha *undone, ruined*
desilusionada *disillusioned, disappointed*

desocupada *idle, unoccupied, not busy*
desnuda *bare, undressed*
emocionada *emotional, excited*
enamorada *in love*
encantada *delighted, pleased*
enferma *sick*
enojada *angry*
entusiasmada *enthusiastic*
envidiosa *envious*
equivocada *wrong, mistaken*
estupenda *great, marvellous*
floja *lazy*
harta *fed up*
herida *wounded, hurt*
histérica *hysterical*
incómoda *uncomfortable*
inconsciente *unconscious*
lista *ready, willing*
loca *crazy, nuts*
mal *ill*
mareada *dizzy, seasick*

mejor *better*
molesta *annoyed, bothered*
nerviosa *nervous*
ocupada *busy, occupied*
peor *worse*
perdida *lost*
preocupada *worried*
regular *regular, okay*
relajada *relaxed*
rendida *exhausted*
satisfecha *full, satisfied*
segura *sure, certain*
sola *alone, lonely*
sorprendida *surprised*
suspendida *failed, flunked*
tímida *afraid, shy*
triste *sad*
vestida *dressed*
viva *lively, alive*

8. Vocabulario: ¿Cómo es?

aburrido *boring*
agradable *agreeable, pleasant*
alegre *joyful, merry, cheerful*
alto *tall*
animado *lively*
bajo *short*
bravo *aggressive, wild, ill-tempered*
bueno *good*
cómico *funny*
conocido *well-known*
cortés *courteous, polite*
débil *weak*
dichoso *happy, lucky*
digno *dignified*
divertido *amusing, entertaining*
elegante *elegant*
famoso *famous*
feo *ugly*
feliz *happy*
flaco *thin*

fuerte *strong*
gordo *fat*
gracioso *amusing, witty; graceful*
grosero *rude, coarse*
guapo *good-looking, cute*
hermoso *beautiful*
independiente *independent*
inocente *innocent*
inteligente *intelligent*
joven *young*
listo *smart, clever*
loco *crazy*
macho *masculine*
malo *bad*
mayor *older, oldest*
menor *younger, youngest*
moreno *brunette, dark-haired*
nervioso *nervous*
paciente *patient*
pecoso *freckled*

pelirrojo *redhead*
perezoso *lazy*
pesado *dull, tiresome*
pobre *poor*
querido *loved, beloved, dear*
religioso *religious*
rico *rich*
ridículo *ridiculous*
rubio *blond*
sano *sane, sensible, healthy*
sencillo *simple, plain*
serio *serious*
simpático *nice, congenial*
tímido *timid, shy, bashful*
típico *typical*
tonto *foolish, stupid*
tranquilo *peaceful, calm*
travieso *mischievous*
valiente *brave, valiant*
viejo *old*

LOTERIA

7. ¿Cómo está?

aburrida	cansada	encantada	inconsciente	regular
agitada	celosa	enferma	lista	relajada
agradecida	contenta	enojada	loca	rendida
animada	deprimida	entusiasmada	mal	satisfecha
aprobada	desanimada	envidiosa	mareada	segura
asustada	desesperada	equivocada	mejor	sola
ausente	deshecha	estupenda	molesta	sorprendida
avergonzada	desilusionada	floja	nerviosa	suspendida
bien	desocupada	harta	ocupada	tímida
borracha	desnuda	herida	peor	triste
calmada	emocionada	histérica	perdida	vestida
callada	enamorada	incómoda	preocupada	viva

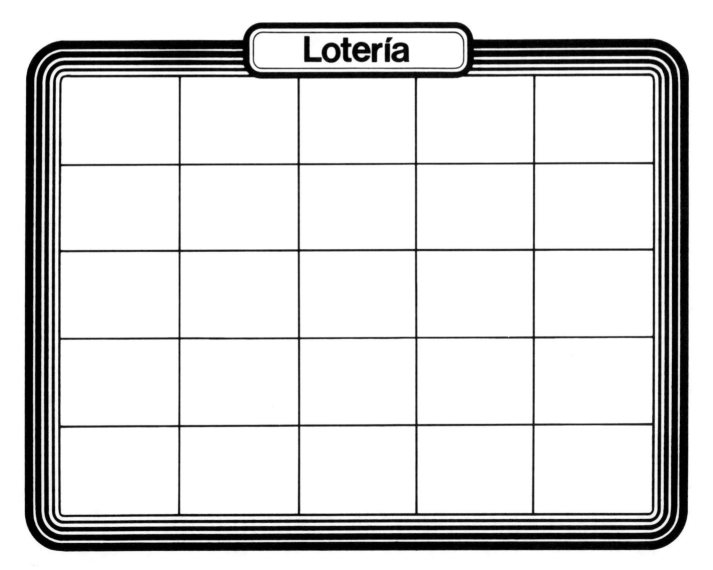

Master 11

LOTERIA

8. **¿Cómo es?**

aburrido	dichoso	guapo	moreno	rubio
agradable	digno	hermoso	nervioso	sano
alegre	divertido	independiente	paciente	sencillo
alto	elegante	inocente	pecoso	serio
animado	famoso	inteligente	pelirrojo	simpático
bajo	feo	joven	perezoso	tímido
bravo	feliz	listo	pesado	típico
bueno	flaco	loco	pobre	tonto
cómico	fuerte	macho	querido	tranquilo
conocido	gordo	malo	religioso	travieso
cortés	gracioso	mayor	rico	valiente
débil	grosero	menor	ridículo	viejo

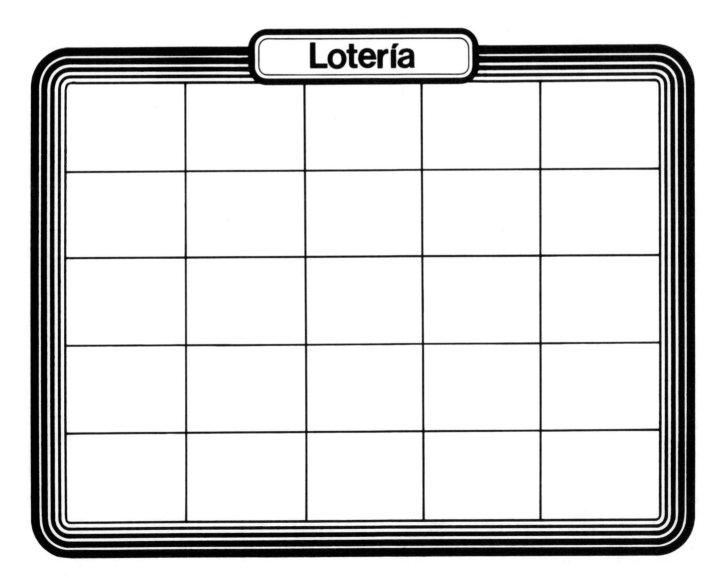

Lotería

Master 12

9. Vocabulario: ¡Vámonos!

aeropuerto *airport*
aldea *village*
banco *bank*
biblioteca *library*
bosque *woods*
cafetería *cafeteria, café*
campo *country*
cancha *sports field, track,*
   ground, or court
capilla *chapel*
capital *capital city*
carnicería *meat market*
casa *home, house*
catedral *cathedral*
cementerio *cemetery*
centro *downtown, center*
   of town
cine *movies, cinema*
ciudad *city*
colegio *academic high school*
correo *post office*

discoteca *disco*
edificio *building*
enfermería *infirmary, clinic*
escuela *school*
estación *station*
estadio *stadium*
estanque *pond, reservoir*
fábrica *factory*
farmacia *pharmacy, drugstore*
granja *farm*
hospital *hospital*
iglesia *church*
jardín *garden*
juguetería *toy store*
lago *lake*
librería *bookstore*
mercado *market*
mirador *observation point*
museo *museum*
oficina *office*
palacio *palace*

panadería *bakery*
papelería *stationery store*
parque *park*
pirámides *pyramids*
piscina *swimming pool*
playa *beach*
plaza *plaza, square*
posada *inn, motel*
pueblo *town*
rancho *ranch*
restaurante *restaurant*
río *river*
sinagoga *synagogue*
supermercado *supermarket*
tienda *store*
universidad *university*
teatro *theater*
templo *temple*
torre *tower*
zapatería *shoe store*

10. Vocabulario: El Empleo

actor *actor*
actriz *actress*
agente *agent*
árbitro *umpire*
artista *artist*
autor *author*
azafata *stewardess*
bailarín *dancer*
banquero *banker*
barbero *barber*
bombero *fireman*
camarera *waitress*
camionero *bus or truck driver*
cantante *singer*
carnicero *butcher*
carpintero *carpenter*
cartero *mail carrier*
cocinero *cook*
cómico *comedian*
compositor *composer*
comprador *buyer*

constructor *builder*
contador *accountant*
criado *servant*
dentista *dentist*
deportista *sports player*
electricista *electrician*
empleado *employee*
enfermera *nurse*
estudiante *student*
fotógrafo *photographer*
futbolista *football or*
   soccer player
granjero *farmer*
guitarrista *guitarist*
ingeniero *engineer*
joyero *jeweler*
juez *judge*
marinero *sailor*
mecánico *mechanic*
médico *physician*
músico *musician*

obrero *worker, laborer*
panadero *baker*
payaso *clown*
periodista *reporter, journalist*
pianista *pianist*
piloto *pilot*
plomero *plumber*
poeta *poet*
policía *police officer*
profesora *professor, teacher*
redactor *editor*
secretaria *secretary*
senador *senator*
soldado *soldier*
tesorera *treasurer*
traductor *translator*
vaquero *cowboy*
vendedor *salesperson*
zapatero *shoemaker*

LOTERIA

9. ¡Vámonos!

aeropuerto	catedral	estadio	mirador	pueblo
aldea	cementerio	estanque	museo	rancho
banco	centro	fábrica	oficina	restaurante
biblioteca	cine	farmacia	palacio	río
bosque	ciudad	granja	panadería	sinagoga
cafetería	colegio	hospital	papelería	supermercado
campo	correo	iglesia	parque	tienda
cancha	discoteca	jardín	pirámides	universidad
capilla	edificio	juguetería	piscina	teatro
capital	enfermería	lago	playa	templo
carnicería	escuela	librería	plaza	torre
casa	estación	mercado	posada	zapatería

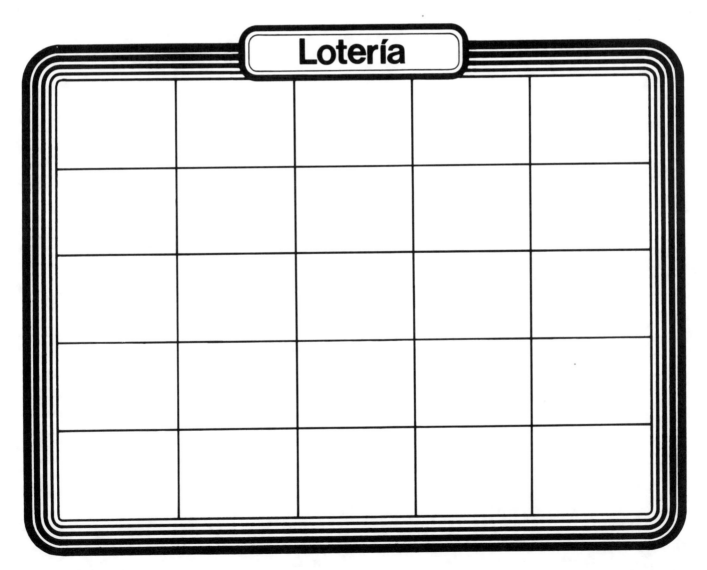

Master 14

LOTERIA

10. El Empleo

actor	camionero	dentista	juez	poeta
actriz	cantante	deportista	marinero	policía
agente	carnicero	electricista	mecánico	profesora
árbitro	carpintero	empleado	médico	redactor
artista	cartero	enfermera	músico	secretaria
autor	cocinero	estudiante	obrero	senador
azafata	cómico	fotógrafo	panadero	soldado
bailarín	compositor	futbolista	payaso	tesorera
banquero	comprador	granjero	periodista	traductor
barbero	constructor	guitarrista	pianista	vaquero
bombero	contador	ingeniero	piloto	vendedor
camarera	criado	joyero	plomero	zapatero

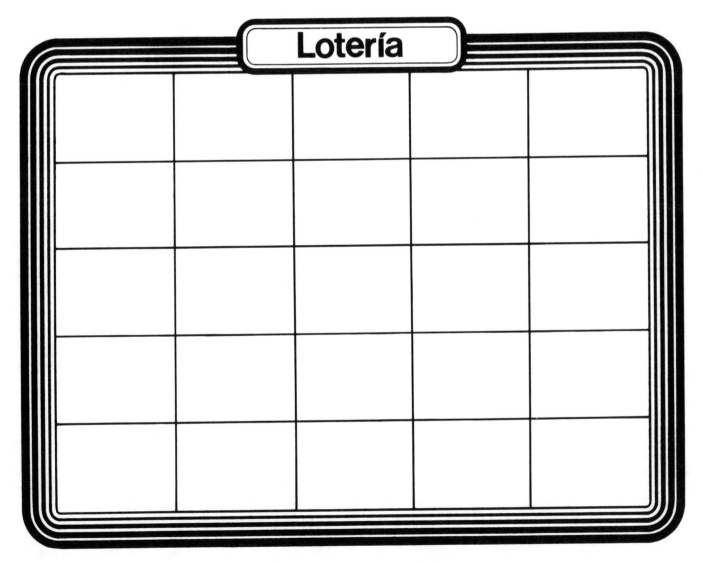

Lotería

Master 15

11. Vocabulario: Los Deportes

activo *active*
acrobatismo *acrobatics*
aficionado *fan*
alpinismo *mountain climbing*
árbitro *umpire, referee*
atleta *athlete*
atrevido *bold, daring*
baloncesto *basketball*
béisbol *baseball*
billar *billiards*
boliche *bowling*
boxeo *boxing*
bravo *brave; aggressive, wild*
campeón *champion*
cancha *any sports field or course*
carrera *race;*
   a campo traviesa *cross-country;*
   de vallas *hurdles;*
   de relevo *relay;*
   de caballos *horse race*
caza *hunting*
ciclismo *cycling*
competencia *competitive event*

decatlón *decathlon*
deportes de pista *track*
ejercicio *exercise*
entrenamiento *training*
equitación *horseback riding*
esquí *skiing*
esquí acuático *waterskiing*
estadio *stadium*
fútbol *soccer*
fútbol americano *football*
ganador *winner*
gimnasia *gymnastics, gym*
golf *golf*
golfito *miniature golf*
hábil *able, capable, skillful*
hockey *hockey*
infatigable *tireless*
jai-alai *jaialai*
jugador *player*
Juegos Olímpicos *Olympic Games*
lucha libre *wrestling*
maratón *marathon*
metro *meter*
natación *swimming*

partido *game*
patinaje *skating;*
   sobre ruedas *roller-skating;*
   sobre hielo *ice-skating*
pelota *ball; handball*
pentatlón *pentathlon*
pesca *fishing*
premio *prize*
público *public, spectators*
salto *jump;*
   de altura *high jump;*
   con pértiga *pole vault;*
   de esquí *ski jump*
tenis *tennis*
tenis de mesa *table tennis*
tiro *shooting;*
   al blanco *target practice;*
   al arco *archery*
trampolín *trampoline, diving board*
triunfante *triumphant*
valiente *brave, valiant*
victorioso *victorious*
volibol *volleyball*

12. Vocabulario: Vacaciones

aire libre *open air*
andar *to walk, to ride*
bicicleta *bicycle*
bronceada *tan, tanned*
calor *hot, heat*
cámara *camera*
campamento *camp*
cartel *poster*
clima *climate*
concierto *concert*
cuenta *check, bill*
deportes *sports*
descansar *to rest*
diversiones *amusements, activities*
días de fiesta *holidays*
dormir *to sleep*
esquiar *to ski*
fotos *photos, pictures*
frío *cold*
gafas de sol *sunglasses*

golfito *miniature golf*
granizo *hail*
humedad *humidity*
invierno *winter*
juegos *games*
loción *lotion*
lluvia *rain*
manejar *to drive*
montar a caballo *to ride horseback*
mosca *fly*
mosquito *mosquito*
nadar *to swim*
neblina *fog, mist*
nieve *snow*
nubes *clouds*
otoño *autumn*
parque *park*
película *film*
perezoso *lazy*
picnic *picnic*

piscina *swimming pool*
primavera *spring*
quehaceres *chores*
quemazón *sunburn*
recreo *recreation*
relajarse *to relax*
relámpago *lightning*
rendido *exhausted*
rollos *rolls (of film)*
sol *sun*
tarjeta postal *postcard*
tempestad *storm*
temporada *period of time; the "season" for something*
tenis *tennis*
tiempo *time; weather*
trueno *thunder*
verano *summer*
viajar *to travel*
viento *wind*
visitar *to visit*

LOTERIA

11. Los Deportes

activo	bravo	esquí	jai-alai	premio
acrobatismo	campeón	esquí acuático	jugador	público
aficionado	cancha	estadio	Juegos Olímpicos	salto
alpinismo	carrera	fútbol	lucha libre	tenis
árbitro	caza	fútbol americano	maratón	tenis de mesa
atleta	ciclismo	ganador	metro	tiro
atrevido	competencia	gimnasia	natación	tiro al arco
baloncesto	decatlón	golf	partido	trampolín
béisbol	deportes de pista	golfito	patinaje	triunfante
billar	ejercicio	hábil	pelota	valiente
boliche	entrenamiento	hockey	pentatlón	victorioso
boxeo	equitación	infatigable	pesca	volibol

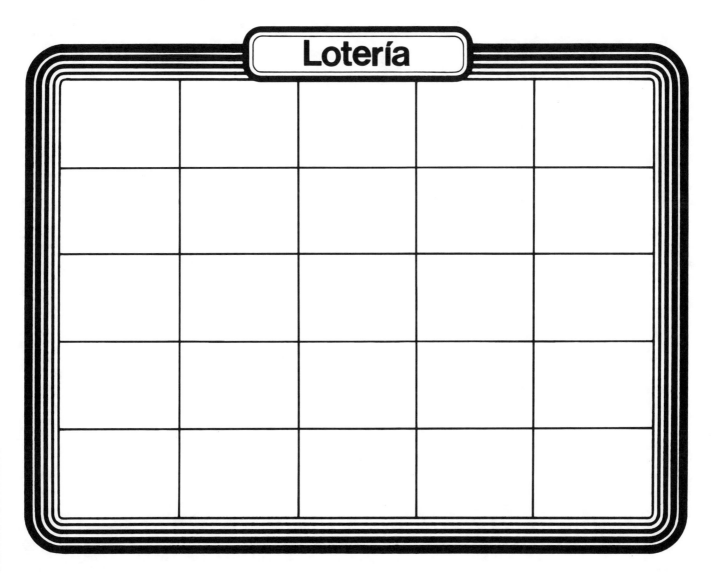

Lotería

Master 17

LOTERIA

12. Vacaciones

aire libre	descansar	juegos	parque	rollos
andar	diversiones	loción	película	sol
bicicleta	días de fiesta	lluvia	perezoso	tarjeta postal
bronceada	dormir	manejar	picnic	tempestad
calor	esquiar	montar a caballo	piscina	temporada
cámara	fotos	mosca	primavera	tenis
campamento	frío	mosquito	quehaceres	tiempo
cartel	gafas de sol	nadar	quemazón	trueno
clima	golfito	neblina	recreo	verano
concierto	granizo	nieve	relajarse	viajar
cuenta	humedad	nubes	relámpago	viento
deportes	invierno	otoño	rendido	visitar

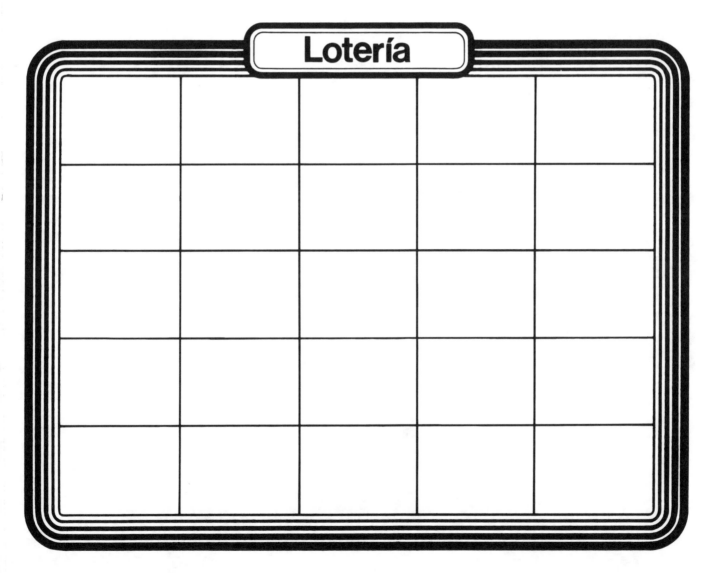

Lotería

13. Vocabulario: ¿Cuánto? ¿Dónde? etc.

abajo *below, down, downstairs*
abril *April*
acá *here*
adelante *forward, ahead*
además *also, besides*
adentro *inside, within*
afuera *outside, out*
agosto *August*
alrededor *around, about*
allá *there*
arriba *up, above, upstairs*
así *so, thus, like that*
aun *even, still, yet*
aunque *although , though*
casi *almost*
conmigo *with me*
contigo *with you*
cuarto *fourth*
debajo *under, underneath*
décimo *tenth*
delante *in front, before*

demasiado *too much*
despacio *slowly*
detrás *behind, in back*
diciembre *December*
durante *during*
encima *on top, above*
enero *January*
entre *among, between*
febrero *February*
hasta *until*
igual *equal*
julio *July*
junio *June*
juntos *together*
luego *then, soon, afterwards*
marzo *March*
mayo *May*
nada *nothing, not anything*
nadie *no one, nobody*
ni *nor, not even, neither*
noveno *ninth*

noviembre *November*
nunca *never*
octavo *eighth*
octubre *October*
para *for, toward, in order to*
por *by, through, along, during,*
   on behalf of, in place of
primero *first*
pues *well*
quinto *fifth*
quizá *perhaps, maybe*
rápido *fast, quick*
segundo *second*
septiembre *September*
séptimo *seventh*
sexto *sixth*
sobre *over, overhead*
tercero *third*
ya *already, finally*

14. Vocabulario: ¿Cuándo? ¿Cómo? etc.

a *to*
ahora *now*
allí *there*
anoche *last night*
antes *before*
aquí *here*
ayer *yesterday*
bien *fine, okay*
cerca *near, close to*
cómo *how*
con *with*
contra *against*
cuándo *when*
cuánto *how much*
cuántos *how many*
de *from, of*
después *after*
domingo *Sunday*
dónde *where*
en *in, into, on, upon*

entonces *then*
esta noche *tonight*
esta tarde *this afternoon*
hoy *today*
invierno *winter*
jamás *never*
jueves *Thursday*
lejos *far*
lunes *Monday*
mal *bad*
mañana *tomorrow, morning*
martes *Tuesday*
más *more*
más tarde *later*
mejor *better*
menos *less, minus*
miércoles *Wednesday*
mucho *much, a lot of*
muy *very*
o *or*

otoño *fall, autumn*
peor *worse*
pero *but*
poco *little, less*
porque *because*
primavera *spring*
pronto *soon, quick*
qué *which, what*
quién *who*
sábado *Saturday*
si *if*
siempre *always*
sin *without*
solo *alone, lonely, only*
también *also, too*
tarde *late, afternoon*
temprano *early*
todavía *still, yet*
verano *summer*
y *and*

LOTERIA

13. ¿Cuánto? ¿Dónde? etc.

abajo	aun	diciembre	marzo	primero
abril	aunque	durante	mayo	pues
acá	casi	encima	nada	quinto
adelante	conmigo	enero	nadie	quizá
además	contigo	entre	ni	rápido
adentro	cuarto	febrero	noveno	segundo
afuera	debajo	hasta	noviembre	septiembre
agosto	décimo	igual	nunca	séptimo
alrededor	delante	julio	octavo	sexto
allá	demasiado	junio	octubre	sobre
arriba	despacio	juntos	para	tercero
así	detrás	luego	por	ya

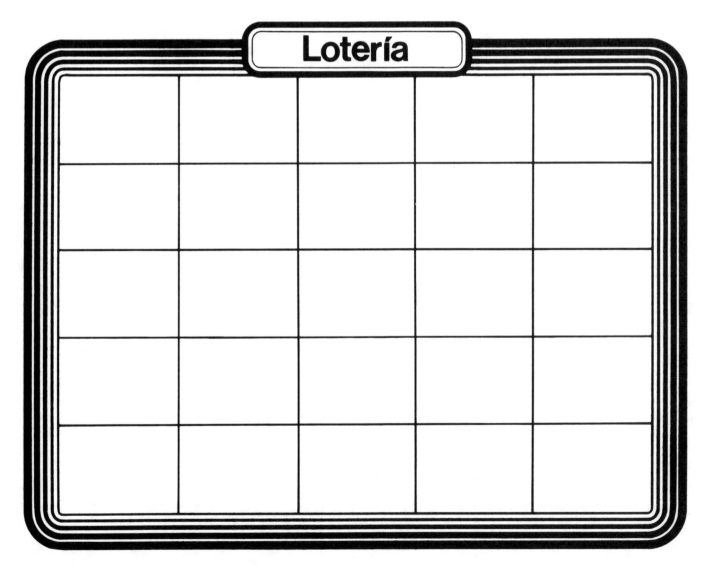

LOTERIA

14. ¿Cuándo? ¿Cómo? etc.

a	cuándo	invierno	miércoles	quién
ahora	cuánto	jamás	mucho	sábado
allí	cuántos	jueves	muy	si
anoche	de	lejos	o	siempre
antes	después	lunes	otoño	sin
aquí	domingo	mal	peor	solo
ayer	dónde	mañana	pero	también
bien	en	martes	poco	tarde
cerca	entonces	más	porque	temprano
cómo	esta noche	más tarde	primavera	todavía
con	esta tarde	mejor	pronto	verano
contra	hoy	menos	qué	y

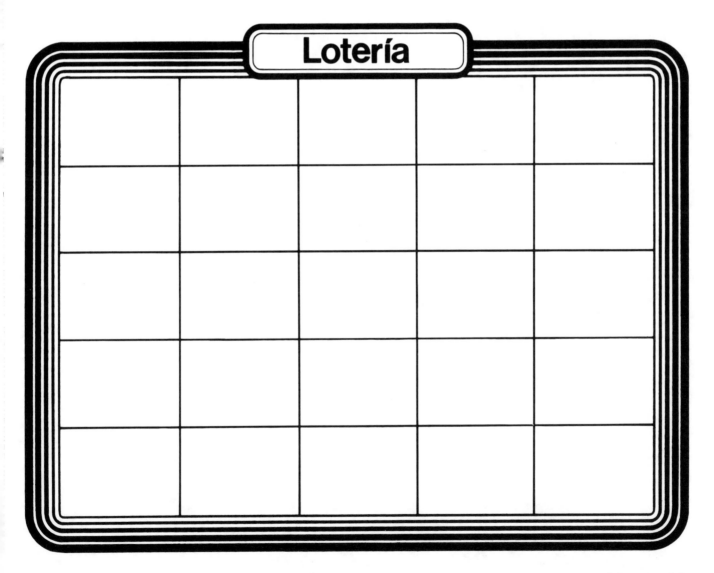

Lotería

Master 21

15. Vocabulario: El Tiempo Libre

adivinanzas *riddles*
afición *hobby*
ajedrez *chess*
arte *art*
baile *dance*
bicicleta *bicycle*
canción *song*
cartas *letters*
cita *date*
club *club*
cocinar *cook*
coleccionar *collect*
comedia *comedy, play*
concierto *concert*
conjunto *combo, group*
corrida *bullfight*
costura *sewing*
crucigramas *crossword puzzles*
deportes *sports*
discos *records*

diversiones *amusements*
dormir *sleep*
entretenimiento *entertainment*
entusiasmado *enthusiastic*
ejercicio *exercise*
escultura *sculpture*
favorito *favorite*
fiesta *party*
guitarra *guitar*
interesante *interesting*
juegos *games*
libro *book*
música *music*
naipes *cards*
novela *novel*
ópera *opera*
pasatiempo *pastime*
paseo *walk, ride*
película *movie*
periódico *newspaper*

piano *piano*
pintura *painting*
piñata *piñata*
plática *chatting, talking*
poesía *poetry*
programa *program*
quehaceres *chores, things to do*
radio *radio*
recreo *recreation*
relajar *to relax*
revista *magazine*
rompecabezas *puzzles*
siesta *nap*
sinfonía *symphony*
teléfono *telephone*
telenovela *soap opera*
televisión *television*
tocadiscos *record player*
viaje *trip*
visita *visit*

16. Vocabulario: La Naturaleza

agua *water*
aire *air*
alba *dawn*
árbol *tree*
arco iris *rainbow*
arena *sand*
arroyo *brook*
bahía *bay*
bosque *forest, woods*
brisa *breeze*
cataratas *waterfalls*
cerro *hill*
césped *lawn*
cielo *sky*
cueva *cave*
desierto *desert*
diamante *diamond*
esmeralda *emerald*
estrella *star*
flor *flower*

geranio *geranium*
hielo *ice*
hoja *leaf*
isla *island*
lago *lake*
lilas *lilacs*
lirios *lilies*
lodo *mud*
luna *moon*
luz *light*
lluvia *rain*
mar *sea*
matas *bushes, shrubs*
montaña *mountain*
nieve *snow*
nubes *clouds*
océano *ocean*
ola *wave*
oro *gold*
orquídea *orchid*

pampas *plains, prairie*
perlas *pearls*
piedra *stone*
planta *plant*
plata *silver*
playa *beach*
rama *branch*
rayo de sol *sunbeam*
río *river*
rosa *rose*
rubí *ruby*
selva *jungle*
sierra *mountain range*
sol *sun*
sombra *shade*
tierra *earth, land*
valle *valley*
viento *wind*
violeta *violet*
volcán *volcano*

LOTERIA

15. El Tiempo Libre

adivinanzas	comedia	ejercicio	pasatiempo	recreo
afición	concierto	escultura	paseo	relajarse
ajedrez	conjunto	favorito	película	revista
arte	corrida	fiesta	periódico	rompecabezas
baile	costura	guitarra	piano	siesta
bicicleta	crucigramas	interesante	pintura	sinfonía
canción	deportes	juegos	piñata	teléfono
cartas	discos	libro	plática	telenovela
cita	diversiones	música	poesía	televisión
club	dormir	naipes	programa	tocadiscos
cocinar	entretenimiento	novela	quehaceres	viaje
coleccionar	entusiasmado	ópera	radio	visita

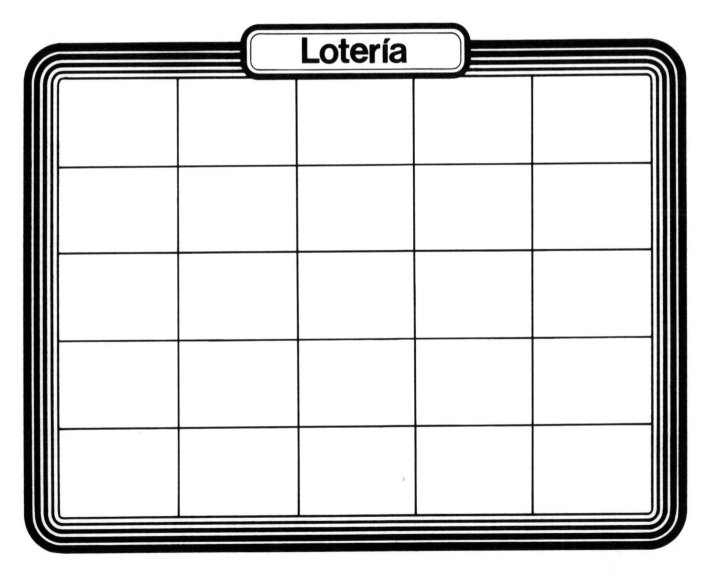

Lotería

Master 23

LOTERIA

16. La Naturaleza

agua	césped	lago	océano	río
aire	cielo	lilas	ola	rosa
alba	cueva	lirios	oro	rubí
árbol	desierto	lodo	orquídea	selva
arco iris	diamante	luna	pampas	sierra
arena	esmeralda	luz	perlas	sol
arroyo	estrella	lluvia	piedra	sombra
bahía	flor	mar	planta	tierra
bosque	geranio	matas	plata	valle
brisa	hielo	montaña	playa	viento
cataratas	hoja	nieve	rama	violeta
cerro	isla	nubes	rayo de sol	volcán

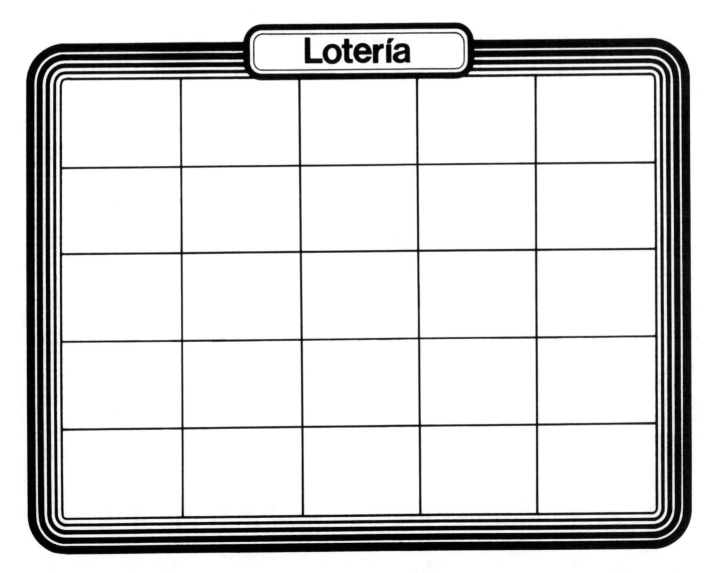

Lotería

17. Vocabulario: La Casa y los Muebles

alfombra *rug, carpet*
azotea *sunroof, flat roof*
azulejos *tiles*
bañera *bathtub*
baño *bathroom*
cama *bed*
calentador *heater*
chimenea *chimney*
cocina *kitchen*
comedor *dining room*
cómoda *dresser, bureau*
congelador *freezer*
cuarto *room*
despensa *pantry*
desván *attic*
dormitorio *bedroom*
ducha *shower*
entrada *entrance hall*
escalera *stairs*
escritorio *desk*

espejo *mirror*
estante *bookshelf, shelf*
estufa *stove*
garaje *garage*
hogar *fireplace, home*
horno *oven*
jardín *garden*
ladrillo *brick*
lámpara *lamp*
lavabo *sink*
lavadora *washer*
luz *light*
llave *key*
madera *wood*
mesa *table*
paredes *walls*
pasillo *hallway*
patio *patio*
piso *floor (story)*
puerta *door*

refrigerador *refrigerator*
rejas *ornamental grillwork*
retrete *toilet*
ropero *closet, wardrobe*
sala *living room*
sala de recreo *rec room*
sala familiar *family room*
secadora *dryer*
silla *straight chair*
sillón *easy chair*
sofá *sofa, couch*
sótano *basement*
suelo *floor*
techo *ceiling, roof*
teléfono *telephone*
televisor *television set*
terreno *yard*
tocadiscos *record player*
ventana *window*
vidrio *glass (pane)*

18. Vocabulario: El Gobierno

alcalde *mayor*
autoridad *authority*
balota *ballot*
bandera *flag*
campaña *campaign*
candidato *candidate*
capital *capital city*
ciudadano *citizen*
civil *civil*
comité *committee*
comunismo *communism*
congreso *congress*
conservador *conservative*
constitución *constitution*
corte *court*
declaración *declaration*
democracia *democracy*
derechos *rights*
dictadura *dictatorship*
diplomático *diplomat*

elección *election*
embajada *embassy*
emperador *emperor*
estado *state*
extraoficial *unofficial*
gobernador *governor*
himno nacional *national anthem*
igualdad *equality*
ilegal *illegal*
impuestos *taxes*
independencia *independence*
jurado *jury, juror*
legislatura *legislature*
ley *law*
liberal *liberal*
libertad *liberty*
militar *military*
ministro *minister*
mundo *world*
nación *nation*

oficial *official*
oposición *opposition*
orden *order*
país *country*
partido *political party*
patriota *patriot*
poder *power*
político *politician, political*
presidente *president*
radical *radical*
rebelde *rebel*
reforma *reform*
reina *queen*
representante *representative*
república *republic*
revolución *revolution*
rey *king*
senador *senator*
unido *united*
voto *vote*

LOTERIA

17. La Casa y los Muebles

alfombra	cuarto	hogar	pasillo	silla
azotea	despensa	horno	patio	sillón
azulejos	desván	jardín	piso	sofá
bañera	dormitorio	ladrillo	puerta	sótano
baño	ducha	lámpara	refrigerador	suelo
cama	entrada	lavabo	rejas	techo
calentador	escalera	lavadora	retrete	teléfono
chimenea	escritorio	luz	ropero	televisor
cocina	espejo	llave	sala	terreno
comedor	estante	madera	sala de recreo	tocadiscos
cómoda	estufa	mesa	sala familiar	ventana
congelador	garaje	paredes	secadora	vidrio

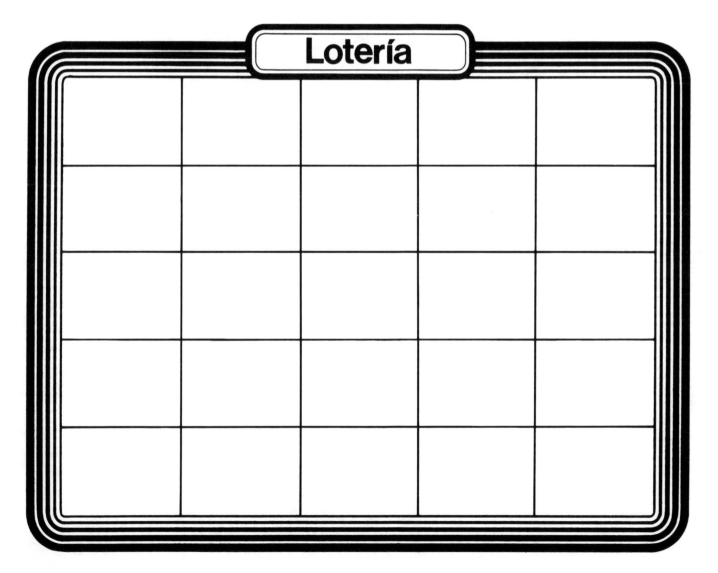

Lotería

LOTERIA

18. El Gobierno

alcalde	conservador	extraoficial	militar	presidente
autoridad	constitución	gobernador	ministro	radical
balota	corte	himno nacional	mundo	rebelde
bandera	declaración	igualdad	nación	reforma
campaña	democracia	ilegal	oficial	reina
candidato	derechos	impuestos	oposición	representante
capital	dictadura	independencia	orden	república
ciudadano	diplomático	jurado	país	revolución
civil	elección	legislatura	partido	rey
comité	embajada	ley	patriota	senador
comunismo	emperador	liberal	poder	unido
congreso	estado	libertad	político	voto

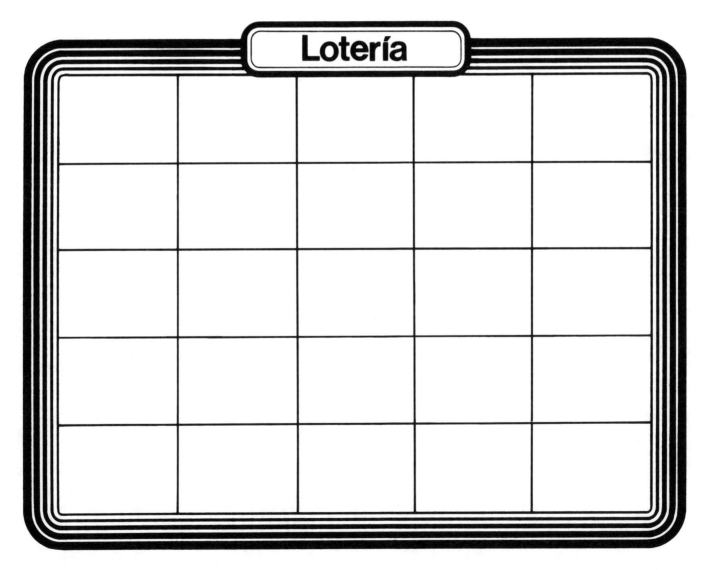

19. Vocabulario: La Religión

adorar *to worship, to adore*
alma *soul*
altar *altar*
ángeles *angels*
bautizo *baptism*
bendito *blessed*
Biblia *Bible*
campanario *bell tower*
capilla *chapel*
cardenal *Cardinal*
caridad *charity*
catedral *cathedral*
católica *Catholic*
cielos *heaven*
clérigo *clergy*
comunión *communion*
confesar *to confess*
congregación *congregation*
coro *choir, chorus*
creer *to believe*
cristiano *Christian*

cruz *cross*
cura *curate, priest*
devoto *devout, devoted*
diablo *devil*
Dios *God*
divino *divine*
espiritual *spiritual*
evangelio *gospel*
fe *faith*
fiel *faithful*
himno *hymn*
ídolo *idol*
iglesia *church*
infierno *hell*
judío *Jew, Jewish*
misa *Mass*
Papa *Pope*
paraíso *paradise*
parroquia *parish*
pastor *pastor, shepherd*
penitencia *penance, penitence*

perdonar *to pardon, to forgive*
piedad *piety, pity*
profeta *prophet*
protestante *Protestant*
religioso *religious*
reverencia *reverence*
rezar *to pray*
rito *rite, ceremony*
sacrificio *sacrifice*
sagrado *sacred*
salvación *salvation*
salvador *Saviour*
santo *saint*
Señor *Lord*
sermonear *to preach*
sinagoga *synagogue*
testamento *testament*
todopoderoso *all-powerful, almighty*

20. Vocabulario: Verbos Útiles

abrir *to open*
andar *to walk*
asistir *to attend*
bailar *to dance*
buscar *to look for*
cantar *to sing*
cerrar *to close*
comer *to eat*
comprar *to buy*
contestar *to answer*
dar *to give*
decir *to say, to tell*
desear *to desire, to want*
dudar *to doubt*
empezar *to begin*
encontrar *to encounter, to meet*
enseñar *to teach, to show*
entender *to understand*
entrar *to enter*
escribir *to write*

escuchar *to listen to*
esperar *to wait for, to hope for*
estudiar *to study*
bailar *to dance*
ganar *to win, to earn, to gain*
gustar *to like*
hablar *to talk*
hacer *to do, to make*
invitar *to invite*
ir *to go*
jugar *to play (sports and games)*
leer *to read*
llamar *to call*
llegar *to arrive*
mirar *to look at, to watch*
nadar *to swim*
necesitar *to need*
oír *to hear*
pagar *to pay*
pasar *to pass, to get along*
pensar *to plan, to think*

perder *to lose*
poder *to be able, can*
poner *to put, to set*
preguntar *to ask questions*
preparar *to prepare*
saber *to know (something)*
salir *to leave*
ser *to be*
tardar *to be late*
tener *to have*
terminar *to finish, to end*
tocar *to play (music)*
tomar *to take*
trabajar *to work*
traer *to bring*
vender *to sell*
venir *to come*
ver *to see*
vivir *to live*
volver *to return*

LOTERIA

19. La Religión

adorar	católica	diablo	misa	rezar
alma	cielos	Dios	Papa	rito
altar	clérigo	divino	paraíso	sacrificio
ángeles	comunión	espiritual	parroquia	sagrado
bautizo	confesar	evangelio	pastor	salvación
bendito	congregación	fe	penitencia	salvador
Biblia	coro	fiel	perdonar	santo
campanario	creer	himno	piedad	Señor
capilla	cristiano	ídolo	profeta	sermonear
cardenal	cruz	iglesia	protestante	sinagoga
caridad	cura	infierno	religioso	testamento
catedral	devoto	judío	reverencia	todopoderoso

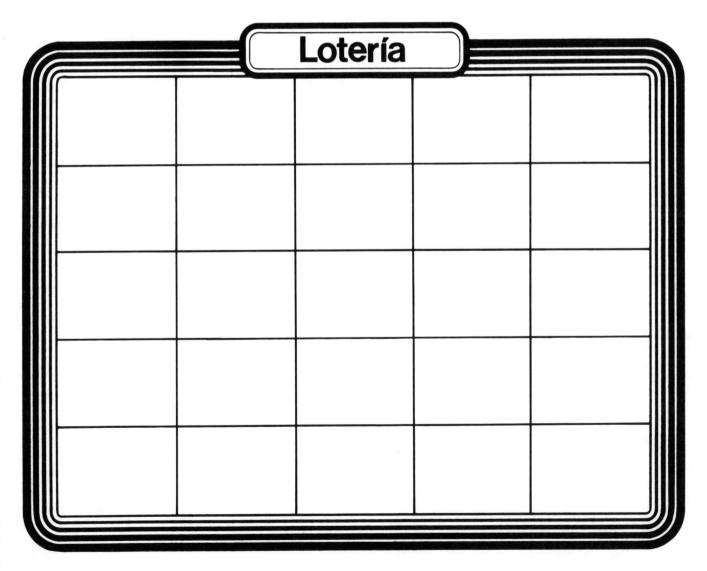

Lotería

Master 29

LOTERIA

20. Verbos Útiles

abrir	desear	gustar	oír	tardar
andar	dudar	hablar	pagar	tener
asistir	empezar	hacer	pasar	terminar
bailar	encontrar	invitar	pensar	tocar
buscar	enseñar	ir	perder	tomar
cantar	entender	jugar	poder	trabajar
cerrar	entrar	leer	poner	traer
comer	escribir	llamar	preguntar	vender
comprar	escuchar	llegar	preparar	venir
contestar	esperar	mirar	saber	ver
dar	estudiar	nadar	salir	vivir
decir	ganar	necesitar	ser	volver

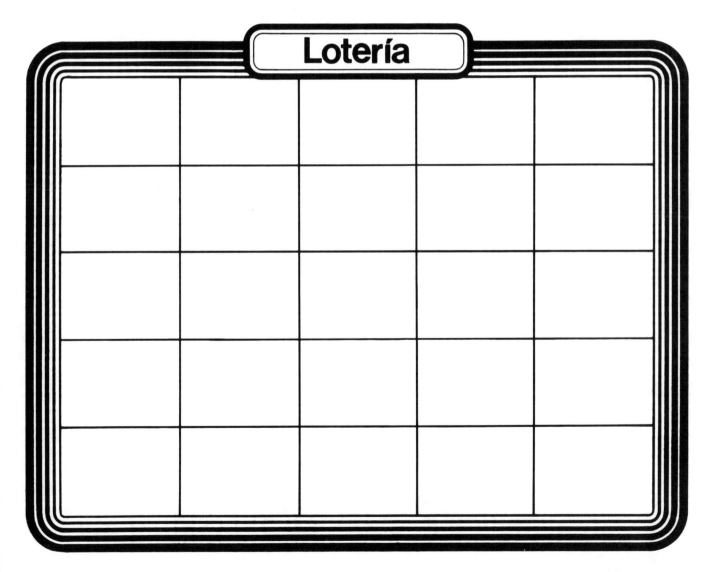

Lotería

Master 30

21. Vocabulario: Más Verbos

acostarse *to go to bed*
admitir *to admit*
apagar *to turn out, put out*
aprender *to learn*
ayudar *to aid, to help*
bajar *to go down*
beber *to drink*
caer *to fall*
cambiar *to change*
caminar *to walk, to travel*
cocinar *to cook*
comprender *to understand*
conocer *to know (someone)*
contar *to count, to tell*
cortar *to cut*
correr *to run*
creer *to believe, to think*
cubrir *to cover*
cumplir *to complete, comply*
deber *to owe, ought to*
decidir *to decide*

dejar *to leave (behind)*
despertarse *to wake up*
dormir *to sleep*
durar *to last*
encender *to turn on, to light*
ensayar *to rehearse*
escoger *to choose*
esconder *to hide*
estar *to be (located);*
    to be (feeling)
explicar *to explain*
faltar *to be lacking, missing*
insistir *to insist*
lavar *to wash*
levantarse *to get up,*
    to stand up
limpiar *to clean*
llevar *to carry, take, wear*
llorar *to cry*
mandar *to send*
manejar *to drive*

matar *to kill*
morir *to die*
parar *to stop*
parecer *to seem, to appear*
pedir *to ask for*
querer *to want, wish, love*
recibir *to receive*
regresar *to return*
romper *to break*
sacar *to take out, to take*
    pictures, to get out
saludar *to greet*
seguir *to follow, to continue*
sentarse *to sit down*
soñar *to dream*
sorprender *to surprise*
subir *to go up*
sufrir *to suffer*
temer *to fear*
traducir *to translate*
visitar *to visit*

22. Vocabulario: Y Más Verbos

abandonar *to abandon*
aceptar *to accept*
acompañar *to accompany*
acostumbrarse *to become*
    accustomed
adorar *to adore, to worship*
anunciar *to announce*
aparecer *to appear*
aprobar *to approve*
asesinar *to assassinate*
comparar *to compare*
componer *to compose, to fix*
comunicar *to communicate*
concluir *to conclude, to infer*
confesar *to confess*
consentir *to consent,*
    pamper, spoil
construir *to construct, build*
contribuir *to contribute*
convencer *to convince*
conversar *to converse*
convertir *to convert*

crear *to create*
declarar *to declare*
depender *to depend, rely on*
desaparecer *to disappear*
describir *to describe*
descubrir *to discover*
desobedecer *to disobey*
destruir *to destroy*
emplear *to employ, use*
espiar *to spy*
exagerar *to exaggerate*
expresar *to express*
impedir *to impede,*
    prevent, hinder
imponer *to impose*
incluir *to include*
inspeccionar *to inspect*
intervenir *to intervene,*
    to mediate
invertir *to reverse, to invert*
mantener *to maintain*
navegar *to navigate, sail*

obedecer *to obey*
ofrecer *to offer*
opinar *to give an opinion*
perdonar *to pardon*
perseguir *to persecute,*
    pursue, harass
posponer *to postpone*
predecir *to predict*
preocuparse *to be preoccupied,*
    worried
presentar *to present, introduce*
producir *to produce*
proteger *to protect, defend*
reconocer *to recognize*
renunciar *to renounce, resign*
repetir *to repeat*
resistir *to resist*
retirarse *to retire*
separar *to separate*
sostener *to sustain, support*
tolerar *to tolerate*
triunfar *to triumph*

LOTERIA

21. Más Verbos

acostarse	conocer	durar	llevar	romper
admitir	contar	encender	llorar	sacar
apagar	cortar	ensayar	mandar	saludar
aprender	correr	escoger	manejar	seguir
ayudar	creer	esconder	matar	sentarse
bajar	cubrir	estar	morir	soñar
beber	cumplir	explicar	parar	sorprender
caer	deber	faltar	parecer	subir
cambiar	decidir	insistir	pedir	sufrir
caminar	dejar	lavar	querer	temer
cocinar	despertarse	levantarse	recibir	traducir
comprender	dormir	limpiar	regresar	visitar

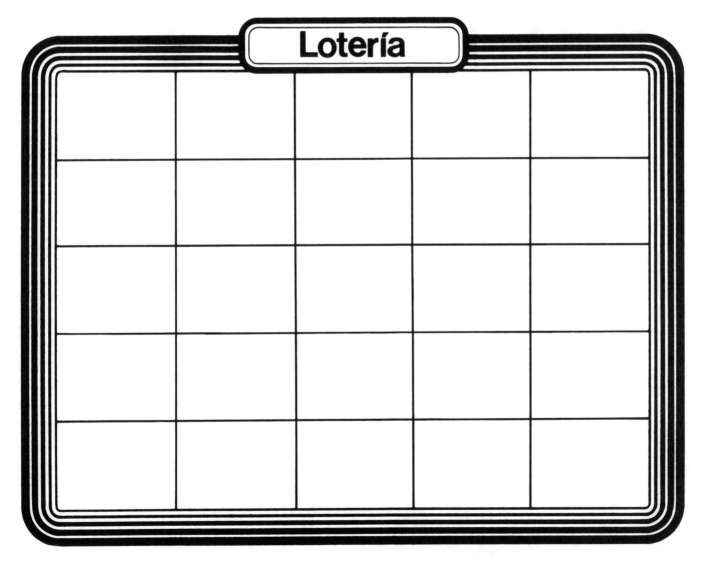

Lotería

Master 32

LOTERIA

22. Y Más Verbos

abandonar	concluir	describir	intervenir	presentar
aceptar	confesar	descubrir	invertir	producir
acompañar	consentir	desobedecer	mantener	proteger
acostumbrarse	construir	destruir	navegar	reconocer
adorar	contribuir	emplear	obedecer	renunciar
anunciar	convencer	espiar	ofrecer	repetir
aparecer	conversar	exagerar	opinar	resistir
aprobar	convertir	expresar	perdonar	retirarse
asesinar	crear	impedir	perseguir	separar
comparar	declarar	imponer	posponer	sostener
componer	depender	incluir	predecir	tolerar
comunicar	desaparecer	inspeccionar	preocuparse	triunfar

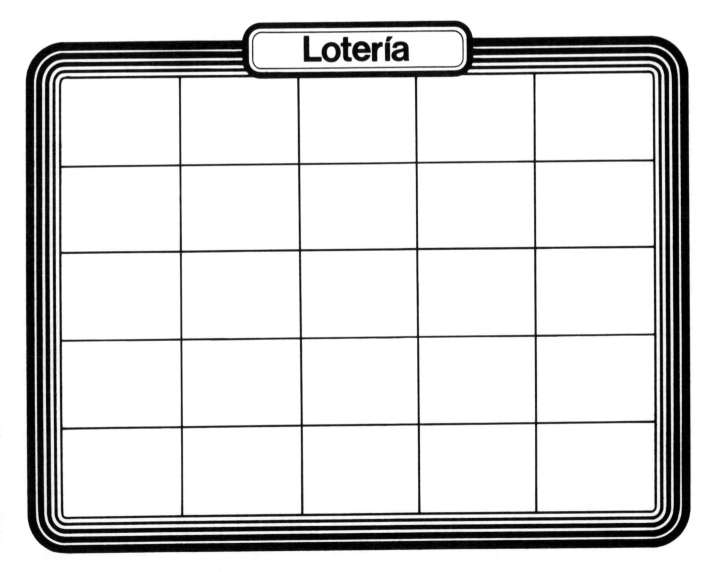

LOTERIA

23. Los números de 0 a 100

1. In the first column of each card below, fill in any numbers between 0 and 20.
2. In the second column fill in any numbers between 21 and 40.
3. In the third column fill in any numbers between 41 and 60.
4. In the fourth column fill in any numbers between 61 and 80.
5. In the last column fill in any numbers between 81 and 100.

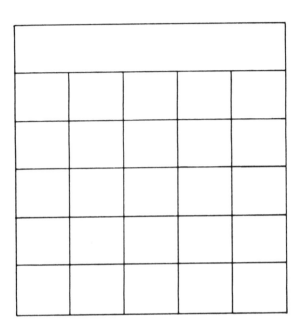

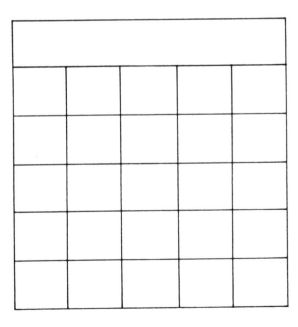

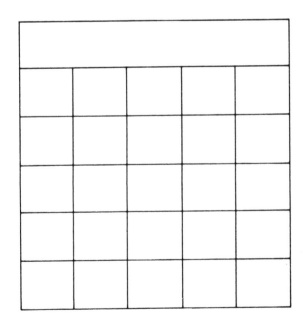

Master 34

LOTERIA

24. Los números de 0 a 1000

1. In the first column of each card below, fill in any numbers ending in zero between 0 and 200.
2. In the second column fill in any numbers ending in zero between 210 and 400.
3. In the third column fill in any numbers ending in zero between 410 and 600.
4. In the fourth column fill in any numbers ending in zero between 610 and 800.
5. In the last column fill in any numbers ending in zero between 810 and 1000.

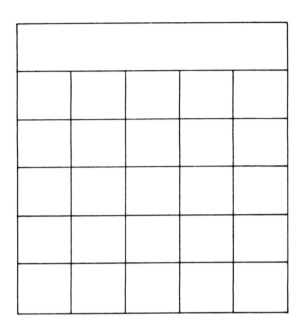

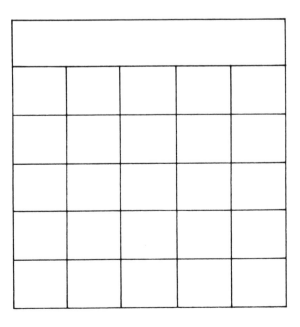

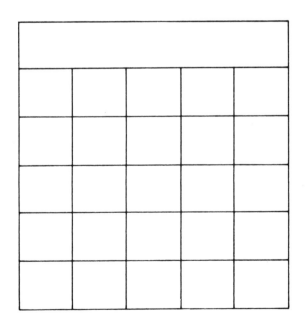

Master 35

LOTERIA

25. ¡Construye un juego original!

_____ _____ _____ _____ _____
_____ _____ _____ _____ _____
_____ _____ _____ _____ _____
_____ _____ _____ _____ _____
_____ _____ _____ _____ _____
_____ _____ _____ _____ _____
_____ _____ _____ _____ _____
_____ _____ _____ _____ _____
_____ _____ _____ _____ _____
_____ _____ _____ _____ _____
_____ _____ _____ _____ _____
_____ _____ _____ _____ _____

Lotería

Part II: Verbs

26. REGULAR PRESENT TENSE -*AR* VERBS

Infinitivos: ayudar, comprar, contestar, escuchar, esperar, estudiar, ganar, hablar, llegar, mirar, necesitar, preguntar, terminar, tocar, tomar, trabajar

ayudo	ayudas	ayuda	ayudamos	ayudan
compro	compras	compra	compramos	compran
contesto	contestas	contesta	contestamos	contestan
escucho	escuchas	escucha	escuchamos	escuchan
espero	esperas	espera	esperamos	esperan
estudio	estudias	estudia	estudiamos	estudian
gano	ganas	gana	ganamos	ganan
hablo	hablas	habla	hablamos	hablan
llego	llegas	llega	llegamos	llegan
miro	miras	mira	miramos	miran
necesito	necesitas	necesita	necesitamos	necesitan
pregunto	preguntas	pregunta	preguntamos	preguntan
termino	terminas	termina	terminamos	terminan
toco	tocas	toca	tocamos	tocan
tomo	tomas	toma	tomamos	toman
trabajo	trabajas	trabaja	trabajamos	trabajan

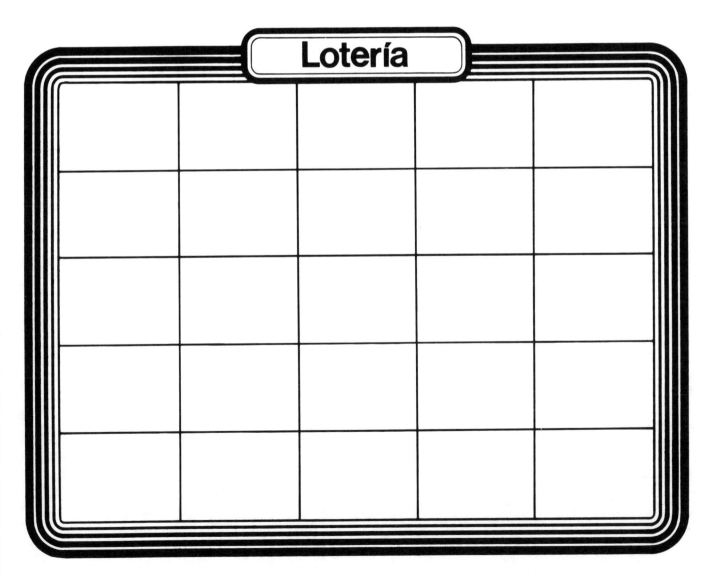

Lotería

27. REGULAR PRESENT TENSE -ER VERBS

Infinitivos: aprender, beber, comer, comprender, correr, creer, deber, esconder, leer, meter, pretender, prometer, responder, sorprender, temer, vender

aprendo	aprendes	aprende	aprendemos	aprenden
bebo	bebes	bebe	bebemos	beben
como	comes	come	comemos	comen
comprendo	comprendes	comprende	comprendemos	comprenden
corro	corres	corre	corremos	corren
creo	crees	cree	creemos	creen
debo	debes	debe	debemos	deben
escondo	escondes	esconde	escondemos	esconden
leo	lees	lee	leemos	leen
meto	metes	mete	metemos	meten
pretendo	pretendes	pretende	pretendemos	pretenden
prometo	prometes	promete	prometemos	prometen
respondo	respondes	responde	respondemos	responden
sorprendo	sorprendes	sorprende	sorprendemos	sorprenden
temo	temes	teme	tememos	temen
vendo	vendes	vende	vendemos	venden

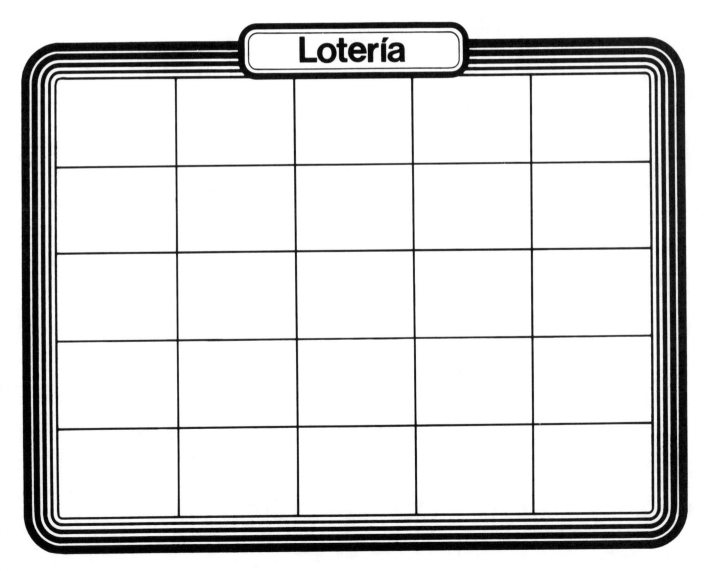

Lotería

28. REGULAR PRESENT TENSE -*IR* VERBS

Infinitivos: abrir, admitir, asistir, cubrir, cumplir, decidir, descubrir, dividir, escribir, insistir, permitir, recibir, resistir, subir, sufrir, vivir

abro	abres	abre	abrimos	abren
admito	admites	admite	admitimos	admiten
asisto	asistes	asiste	asistimos	asisten
cubro	cubres	cubre	cubrimos	cubren
cumplo	cumples	cumple	cumplimos	cumplen
decido	decides	decide	decidimos	deciden
descubro	descubres	descubre	descubrimos	descubren
divido	divides	divide	dividimos	dividen
escribo	escribes	escribe	escribimos	escriben
insisto	insistes	insiste	insistimos	insisten
permito	permites	permite	permitimos	permiten
recibo	recibes	recibe	recibimos	reciben
resisto	resistes	resiste	resistimos	resisten
subo	subes	sube	subimos	suben
sufro	sufres	sufre	sufrimos	sufren
vivo	vives	vive	vivimos	viven

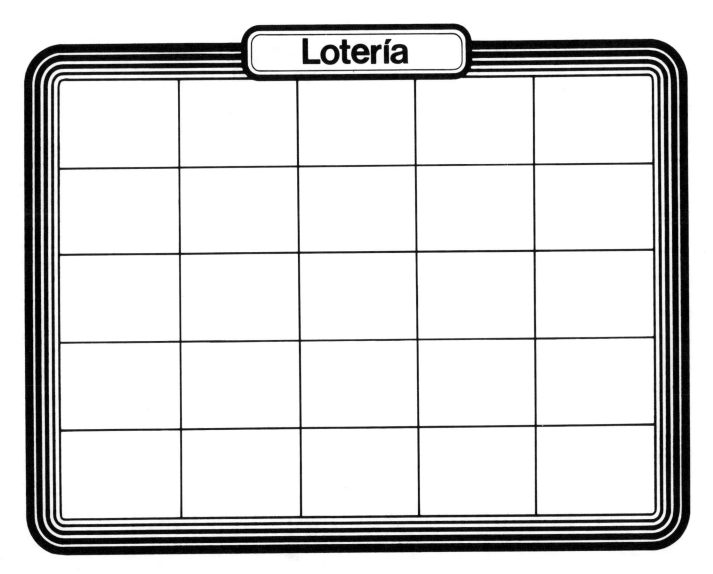

Lotería

Master 39

29. REVIEW OF REGULAR PRESENT TENSE VERBS

Infinitivos: abrir, aprender, ayudar, beber, comer, comprender, comprar, escuchar, escribir, estudiar, hablar, leer, llegar, necesitar, recibir, vivir

abro	abres	abre	abrimos	abren
aprendo	aprendes	aprende	aprendemos	aprenden
ayudo	ayudas	ayuda	ayudamos	ayudan
bebo	bebes	bebe	bebemos	beben
como	comes	come	comemos	comen
comprendo	comprendes	comprende	comprendemos	comprenden
compro	compras	compra	compramos	compran
escucho	escuchas	escucha	escuchamos	escuchan
escribo	escribes	escribe	escribimos	escriben
estudio	estudias	estudia	estudiamos	estudian
hablo	hablas	habla	hablamos	hablan
leo	lees	lee	leemos	leen
llego	llegas	llega	llegamos	llegan
necesito	necesitas	necesita	necesitamos	necesitan
recibo	recibes	recibe	recibimos	reciben
vivo	vives	vive	vivimos	viven

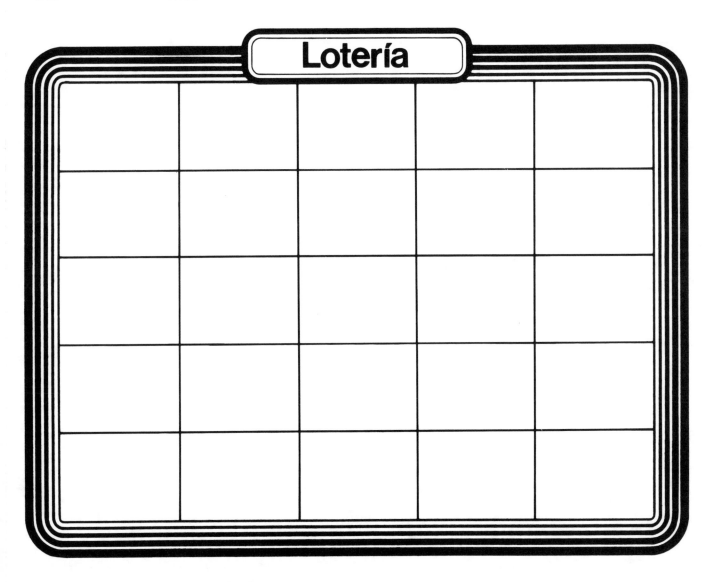

Lotería

Master 40

30. PRESENT TENSE IRREGULAR VERBS

Infinitivos: caber, caer, dar, decir, estar, hacer, ir, oír, poner, saber, salir, ser, tener, valer, venir, ver

quepo	cabes	cabe	cabemos	caben
caigo	caes	cae	caemos	caen
doy	das	da	damos	dan
digo	dices	dice	decimos	dicen
estoy	estás	está	estamos	están
hago	haces	hace	hacemos	hacen
voy	vas	va	vamos	van
oigo	oyes	oye	oímos	oyen
pongo	pones	pone	ponemos	ponen
sé	sabes	sabe	sabemos	saben
salgo	sales	sale	salimos	salen
soy	eres	es	somos	son
tengo	tienes	tiene	tenemos	tienen
valgo	vales	vale	valemos	valen
vengo	vienes	viene	venimos	vienen
veo	ves	ve	vemos	ven

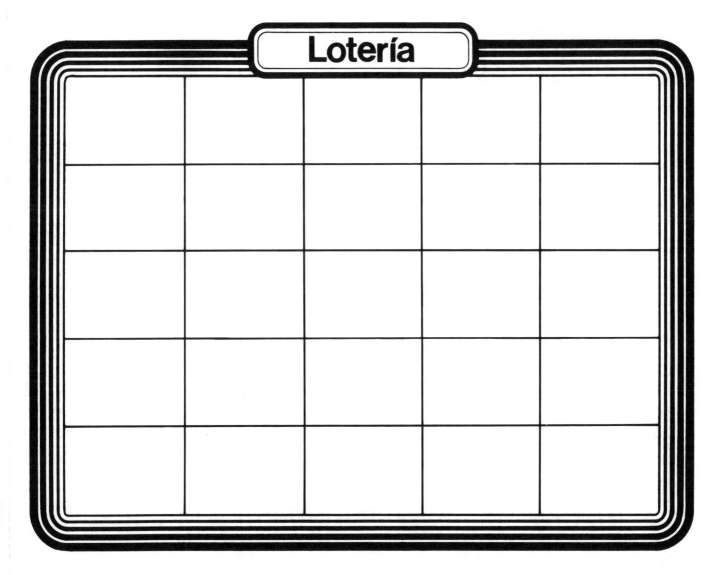

Lotería

31. PRESENT TENSE STEM-CHANGING VERBS (IE)

Infinitivos: cerrar, confesar, defender, despertar, divertir, empezar, encender, entender, mentir, negar, pensar, perder, preferir, querer, regar, sentir

cierro	cierras	cierra	cerramos	cierran
confieso	confiesas	confiesa	confesamos	confiesan
defiendo	defiendes	defiende	defendemos	defienden
despierto	despiertas	despierta	despertamos	despiertan
divierto	diviertes	divierte	divertimos	divierten
empiezo	empiezas	empieza	empezamos	empiezan
enciendo	enciendes	enciende	encendemos	encienden
entiendo	entiendes	entiende	entendemos	entienden
miento	mientes	miente	mentimos	mienten
niego	niegas	niega	negamos	niegan
pienso	piensas	piensa	pensamos	piensan
pierdo	pierdes	pierde	perdemos	pierden
prefiero	prefieres	prefiere	preferimos	prefieren
quiero	quieres	quiere	queremos	quieren
riego	riegas	riega	regamos	riegan
siento	sientes	siente	sentimos	sienten

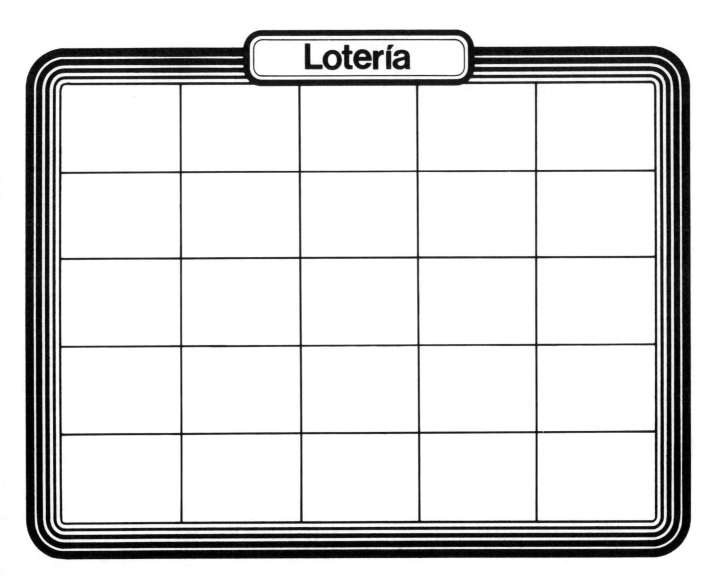

Lotería

©NTC Publishing Group

32. PRESENT TENSE STEM-CHANGING VERBS (UE)

Infinitivos: acostar, almorzar, contar, dormir, encontrar, jugar, morir, morder, mostrar, mover, poder, probar, recordar, soñar, volar, volver

acuesto	acuestas	acuesta	acostamos	acuestan
almuerzo	almuerzas	almuerza	almorzamos	almuerzan
cuento	cuentas	cuenta	contamos	cuentan
duermo	duermes	duerme	dormimos	duermen
encuentro	encuentras	encuentra	encontramos	encuentran
juego	juegas	juega	jugamos	juegan
muero	mueres	muere	morimos	mueren
muerdo	muerdes	muerde	mordemos	muerden
muestro	muestras	muestra	mostramos	muestran
muevo	mueves	mueve	movemos	mueven
puedo	puedes	puede	podemos	pueden
pruebo	pruebas	prueba	probamos	prueban
recuerdo	recuerdas	recuerda	recordamos	recuerdan
sueño	sueñas	sueña	soñamos	sueñan
vuelo	vuelas	vuela	volamos	vuelan
vuelvo	vuelves	vuelve	volvemos	vuelven

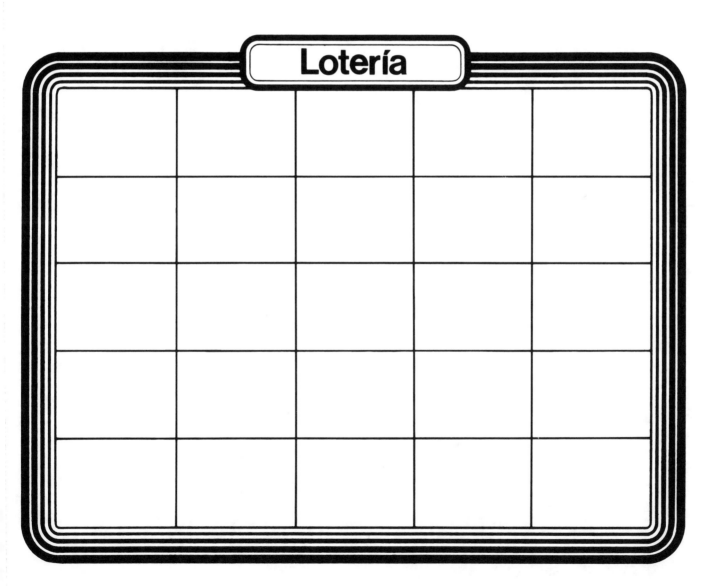

Lotería

Master 43

33. REVIEW OF ALL STEM-CHANGING VERBS

Infinitivos: cerrar, despedir, divertir, dormir, empezar, encontrar, entender, jugar, pedir, pensar, poder, querer, recordar, repetir, seguir, volver

cierro	cierras	cierra	cerramos	cierran
despido	despides	despide	despedimos	despiden
divierto	diviertes	divierte	divertimos	divierten
duermo	duermes	duerme	dormimos	duermen
empiezo	empiezas	empieza	empezamos	empiezan
encuentro	encuentras	encuentra	encontramos	encuentran
entiendo	entiendes	entiende	entendemos	entienden
juego	juegas	juega	jugamos	juegan
pido	pides	pide	pedimos	piden
pienso	piensas	piensa	pensamos	piensan
puedo	puedes	puede	podemos	pueden
quiero	quieres	quiere	queremos	quieren
recuerdo	recuerdas	recuerda	recordamos	recuerdan
repito	repites	repite	repetimos	repiten
sigo	sigues	sigue	seguimos	siguen
vuelvo	vuelves	vuelve	volvemos	vuelven

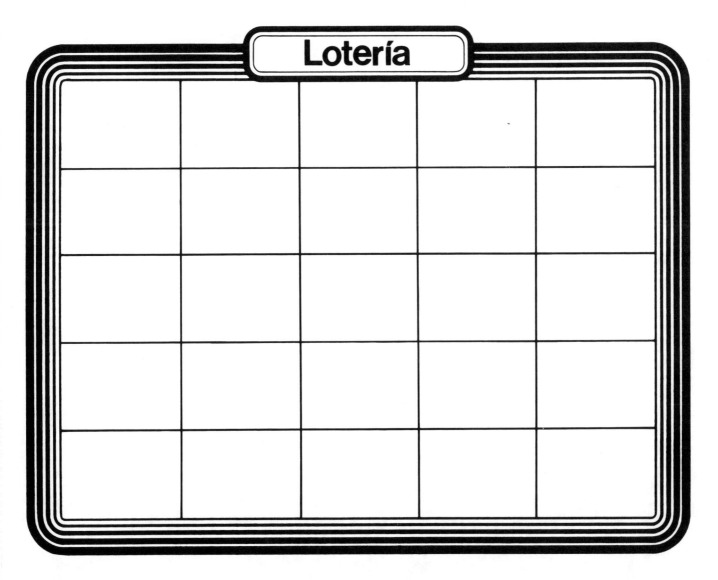

Lotería

Master 44

34. PRESENT TENSE REFLEXIVE VERBS

Infinitivos: acordarse, acostarse, alegrarse, bañarse, callarse, cansarse, despertarse, divertirse, equivocarse, lavarse, levantarse, llamarse, peinarse, sentarse, vestirse

me	**te**	**se**	**nos**	**se**
acuerdo	acuerdas	acuerda	acordamos	acuerdan
acuesto	acuestas	acuesta	acostamos	acuestan
alegro	alegras	alegra	alegramos	alegran
baño	bañas	baña	bañamos	bañan
callo	callas	calla	callamos	callan
canso	cansas	cansa	cansamos	cansan
despierto	despiertas	despierta	despertamos	despiertan
divierto	diviertes	divierte	divertimos	divierten
equivoco	equivocas	equivoca	equivocamos	equivocan
lavo	lavas	lava	lavamos	lavan
levanto	levantas	levanta	levantamos	levantan
llamo	llamas	llama	llamamos	llaman
peino	peinas	peina	peinamos	peinan
siento	sientas	sienta	sentamos	sientan
visto	vistes	viste	vestimos	visten

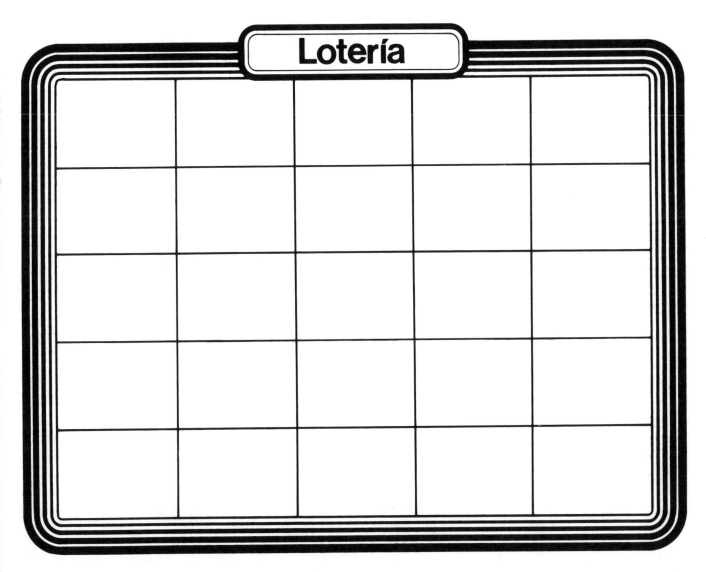

Lotería

Master 45

35. REGULAR PRETERITE TENSE -*AR* VERBS

Infinitivos: ayudar, cerrar, contestar, encontrar, entrar, estudiar, ganar, llamar, mirar, preguntar, pasar, recordar, saludar, sentar, trabajar, visitar

ayudé	ayudaste	ayudó	ayudamos	ayudaron
cerré	cerraste	cerró	cerramos	cerraron
contesté	contestaste	contestó	contestamos	contestaron
encontré	encontraste	encontró	encontramos	encontraron
entré	entraste	entró	entramos	entraron
estudié	estudiaste	estudió	estudiamos	estudiaron
gané	ganaste	ganó	ganamos	ganaron
llamé	llamaste	llamó	llamamos	llamaron
miré	miraste	miró	miramos	miraron
pregunté	preguntaste	preguntó	preguntamos	preguntaron
pasé	pasaste	pasó	pasamos	pasaron
recordé	recordaste	recordó	recordamos	recordaron
saludé	saludaste	saludó	saludamos	saludaron
senté	sentaste	sentó	sentamos	sentaron
trabajé	trabajaste	trabajó	trabajamos	trabajaron
visité	visitaste	visitó	visitamos	visitaron

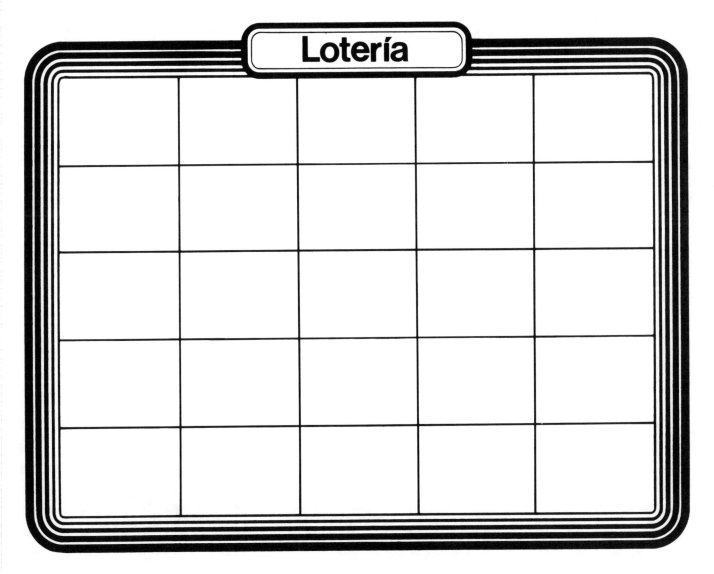

Lotería

Master 46

36. REGULAR PRETERITE TENSE -*IR* AND -*ER* VERBS

Infinitivos: abrir, aprender, asistir, beber, comer, correr, cumplir, decidir, entender, escribir, responder, salir, subir, ver, vivir, volver

abrí	abriste	abrió	abrimos	abrieron
aprendí	aprendiste	aprendió	aprendimos	aprendieron
asistí	asististe	asistió	asistimos	asistieron
bebí	bebiste	bebió	bebimos	bebieron
comí	comiste	comió	comimos	comieron
corrí	corriste	corrió	corrimos	corrieron
cumplí	cumpliste	cumplió	cumplimos	cumplieron
decidí	decidiste	decidió	decidimos	decidieron
entendí	entendiste	entendió	entendimos	entendieron
escribí	escribiste	escribió	escribimos	escribieron
respondí	respondiste	respondió	respondimos	respondieron
salí	saliste	salió	salimos	salieron
subí	subiste	subió	subimos	subieron
vi	viste	vio	vimos	vieron
viví	viviste	vivió	vivimos	vivieron
volví	volviste	volvió	volvimos	volvieron

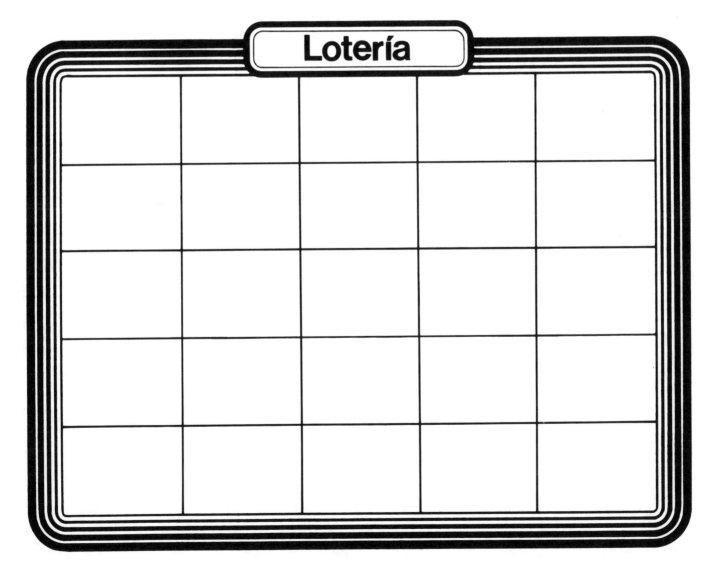

Lotería

37. REVIEW OF REGULAR PRETERITE TENSE

Infinitivos: abrir, bajar, caminar, cerrar, correr, escoger, escribir, ganar, mandar, perder, salir, saludar, subir, terminar, vender, volver

abrí	abriste	abrió	abrimos	abrieron
bajé	bajaste	bajó	bajamos	bajaron
caminé	caminaste	caminó	caminamos	caminaron
cerré	cerraste	cerró	cerramos	cerraron
corrí	corriste	corrió	corrimos	corrieron
escogí	escogiste	escogió	escogimos	escogieron
escribí	escribiste	escribió	escribimos	escribieron
gané	ganaste	ganó	ganamos	ganaron
mandé	mandaste	mandó	mandamos	mandaron
perdí	perdiste	perdió	perdimos	perdieron
salí	saliste	salió	salimos	salieron
saludé	saludaste	saludó	saludamos	saludaron
subí	subiste	subió	subimos	subieron
terminé	terminaste	terminó	terminamos	terminaron
vendí	vendiste	vendió	vendimos	vendieron
volví	volviste	volvió	volvimos	volvieron

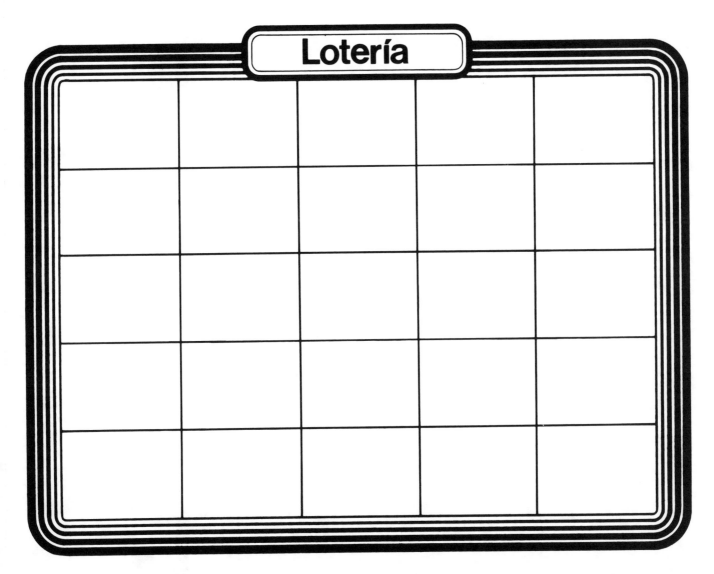

Lotería

38. PRETERITE STEM-CHANGING VERBS

Infinitivos: convertir, despedir, divertir, dormir, elegir, impedir, invertir, morir, pedir, perseguir, preferir, seguir, sentir, servir, sugerir, vestir

convertí	convertiste	convirtió	convertimos	convirtieron
despedí	despediste	despidió	despedimos	despidieron
divertí	divertiste	divirtió	divertimos	divirtieron
dormí	dormiste	durmió	dormimos	durmieron
elegí	elegiste	eligió	elegimos	eligieron
impedí	impediste	impidió	impedimos	impidieron
invertí	invertiste	invirtió	invertimos	invirtieron
morí	moriste	murió	morimos	murieron
pedí	pediste	pidió	pedimos	pidieron
perseguí	perseguiste	persiguió	perseguimos	persiguieron
preferí	preferiste	prefirió	preferimos	prefirieron
seguí	seguiste	siguió	seguimos	siguieron
sentí	sentiste	sintió	sentimos	sintieron
serví	serviste	sirvió	servimos	sirvieron
sugerí	sugeriste	sugirió	sugerimos	sugirieron
vestí	vestiste	vistió	vestimos	vistieron

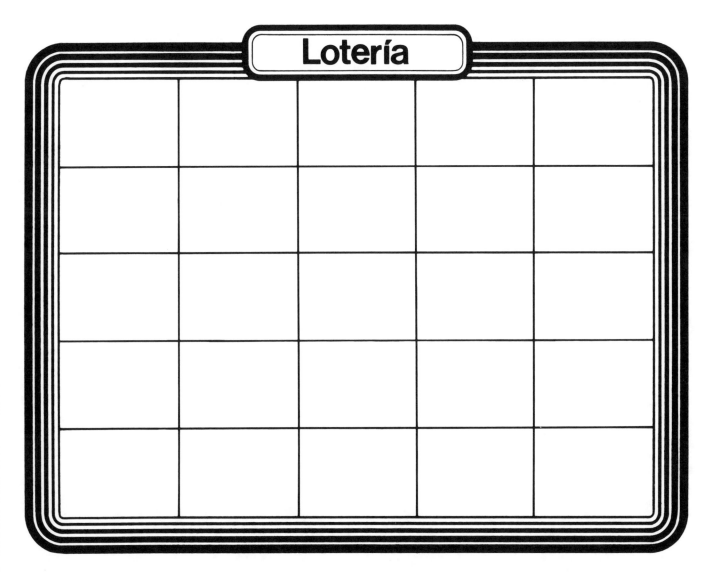

Lotería

39. IRREGULAR PRETERITE TENSE

Infinitivos: andar, dar, decir, estar, hacer, ir, poder, poner, querer, saber, ser, tener, traducir, traer, venir

anduve	anduviste	anduvo	anduvimos	anduvieron
di	diste	dio	dimos	dieron
dije	dijiste	dijo	dijimos	dijeron
estuve	estuviste	estuvo	estuvimos	estuvieron
hice	hiciste	hizo	hicimos	hicieron
fui	fuiste	fue	fuimos	fueron
pude	pudiste	pudo	pudimos	pudieron
puse	pusiste	puso	pusimos	pusieron
quise	quisiste	quiso	quisimos	quisieron
supe	supiste	supo	supimos	supieron
fui	fuiste	fue	fuimos	fueron
tuve	tuviste	tuvo	tuvimos	tuvieron
traduje	tradujiste	tradujo	tradujimos	tradujeron
traje	trajiste	trajo	trajimos	trajeron
vine	viniste	vino	vinimos	vinieron

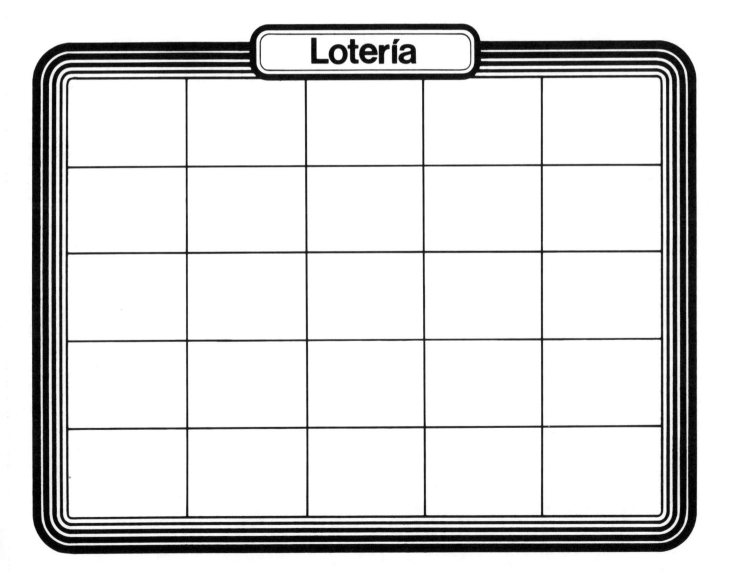

Lotería

40. PRETERITE TENSE REVIEW

Infinitivos: conocer, dar, decir, dejar, dormir, entender, estar, hacer, ir, llevar, pedir, poner, tener, terminar, venir

conocí	conociste	conoció	conocimos	conocieron
di	diste	dio	dimos	dieron
dije	dijiste	dijo	dijimos	dijeron
dejé	dejaste	dejó	dejamos	dejaron
dormí	dormiste	durmió	dormimos	durmieron
entendí	entendiste	entendió	entendimos	entendieron
estuve	estuviste	estuvo	estuvimos	estuvieron
hice	hiciste	hizo	hicimos	hicieron
fui	fuiste	fue	fuimos	fueron
llevé	llevaste	llevó	llevamos	llevaron
pedí	pediste	pidió	pedimos	pidieron
puse	pusiste	puso	pusimos	pusieron
tuve	tuviste	tuvo	tuvimos	tuvieron
terminé	terminaste	terminó	terminamos	terminaron
vine	viniste	vino	vinimos	vinieron

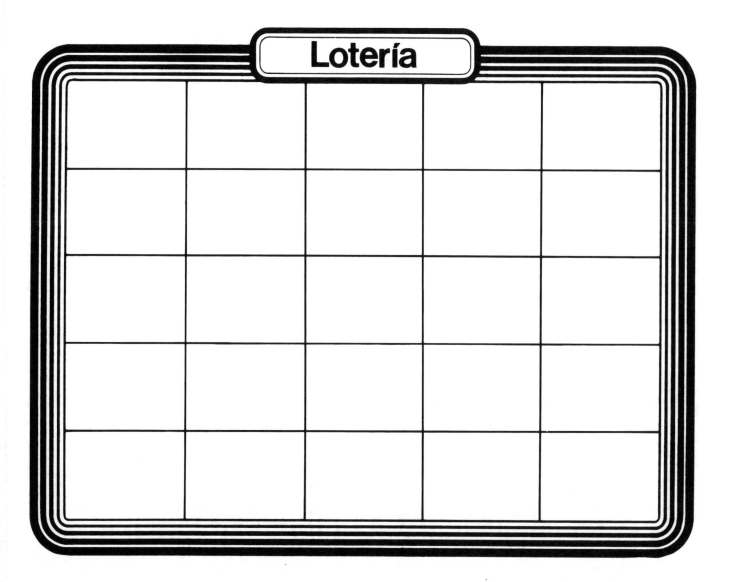

Lotería

41. REGULAR IMPERFECT TENSE -*AR* VERBS

Infinitivos: andar, buscar, comprar, dar, desear, empezar, escuchar, esperar, estar, hablar, jugar, llevar, necesitar, pensar, terminar, trabajar

andaba	andabas	andaba	andábamos	andaban
buscaba	buscabas	buscaba	buscábamos	buscaban
compraba	comprabas	compraba	comprábamos	compraban
daba	dabas	daba	dábamos	daban
deseaba	deseabas	deseaba	deseábamos	deseaban
empezaba	empezabas	empezaba	empezábamos	empezaban
escuchaba	escuchabas	escuchaba	escuchábamos	escuchaban
esperaba	esperabas	esperaba	esperábamos	esperaban
estaba	estabas	estaba	estábamos	estaban
hablaba	hablabas	hablaba	hablábamos	hablaban
jugaba	jugabas	jugaba	jugábamos	jugaban
llevaba	llevabas	llevaba	llevábamos	llevaban
necesitaba	necesitabas	necesitaba	necesitábamos	necesitaban
pensaba	pensabas	pensaba	pensábamos	pensaban
terminaba	terminabas	terminaba	terminábamos	terminaban
trabajaba	trabajabas	trabajaba	trabajábamos	trabajaban

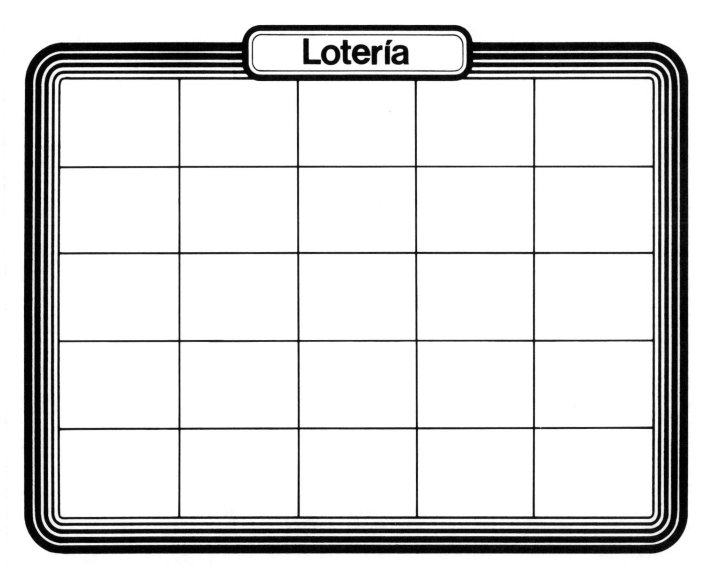

Lotería

42. REGULAR IMPERFECT TENSE *-IR* AND *-ER* VERBS

Infinitivos: abrir, comer, conocer, escribir, leer, parecer, permitir, poder, querer, saber, salir, subir, tener, venir, vivir, volver

abría	abrías	abría	abríamos	abrían
comía	comías	comía	comíamos	comían
conocía	conocías	conocía	conocíamos	conocían
escribía	escribías	escribía	escribíamos	escribían
leía	leías	leía	leíamos	leían
parecía	parecías	parecía	parecíamos	parecían
permitía	permitías	permitía	permitíamos	permitían
podía	podías	podía	podíamos	podían
quería	querías	quería	queríamos	querían
sabía	sabías	sabía	sabíamos	sabían
salía	salías	salía	salíamos	salían
subía	subías	subía	subíamos	subían
tenía	tenías	tenía	teníamos	tenían
venía	venías	venía	veníamos	venían
vivía	vivías	vivía	vivíamos	vivían
volvía	volvías	volvía	volvíamos	volvían

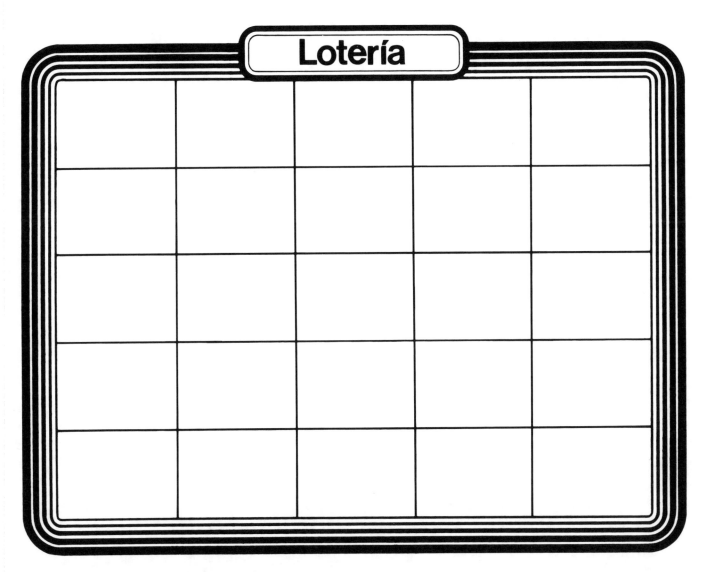

Lotería

43. REVIEW OF IMPERFECT TENSE INCLUDING IRREGULARS I

Infinitivos: deber, decir, dormir, esperar, estar, gozar, hablar, insistir, ir, parecer, pasar, pensar, querer, ser, soñar, tener, tomar, ver

debía	debías	debía	debíamos	debían
decía	decías	decía	decíamos	decían
dormía	dormías	dormía	dormíamos	dormían
esperaba	esperabas	esperaba	esperábamos	esperaban
estaba	estabas	estaba	estábamos	estaban
gozaba	gozabas	gozaba	gozábamos	gozaban
hablaba	hablabas	hablaba	hablábamos	hablaban
insistía	insistías	insistía	insistíamos	insistían
iba	ibas	iba	íbamos	iban
parecía	parecías	parecía	parecíamos	parecían
pasaba	pasabas	pasaba	pasábamos	pasaban
pensaba	pensabas	pensaba	pensábamos	pensaban
quería	querías	quería	queríamos	querían
era	eras	era	éramos	eran
soñaba	soñabas	soñaba	soñábamos	soñaban
tenía	tenías	tenía	teníamos	tenían
tomaba	tomabas	tomaba	tomábamos	tomaban
veía	veías	veía	veíamos	veían

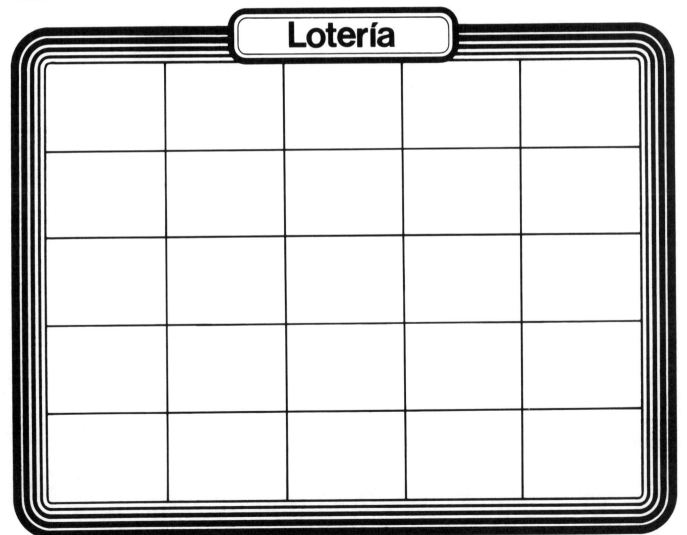

Lotería

44. REVIEW OF IMPERFECT TENSE INCLUDING IRREGULARS II

Infinitivos: asistir, contar, dar, entender, escribir, escuchar, hacer, jugar, llegar, oír, pasear, poder, quedar, salir, ser, volver

asistía	asistías	asistía	asistíamos	asistían
contaba	contabas	contaba	contábamos	contaban
daba	dabas	daba	dábamos	daban
entendía	entendías	entendía	entendíamos	entendían
escribía	escribías	escribía	escribíamos	escribían
escuchaba	escuchabas	escuchaba	escuchábamos	escuchaban
hacía	hacías	hacía	hacíamos	hacían
jugaba	jugabas	jugaba	jugábamos	jugaban
llegaba	llegabas	llegaba	llegábamos	llegaban
oía	oías	oía	oíamos	oían
paseaba	paseabas	paseaba	paseábamos	paseaban
podía	podías	podía	podíamos	podían
quedaba	quedabas	quedaba	quedábamos	quedaban
salía	salías	salía	salíamos	salían
era	eras	era	éramos	eran
volvía	volvías	volvía	volvíamos	volvían

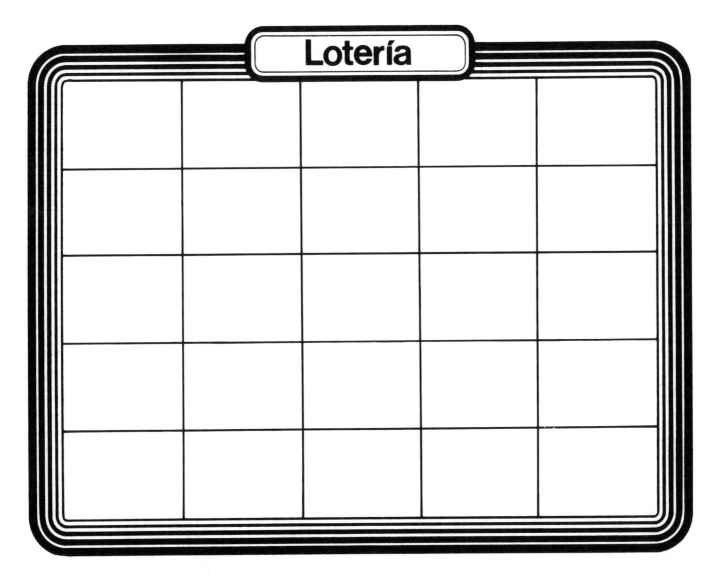

Lotería

45. FUTURE TENSE REGULAR VERBS I

Infinitivos: cerrar, contar, decidir, esperar, estar, ganar, ir, leer, llamar, manejar, pagar, pedir, subir, vender, vestir, ver

cerraré	cerrarás	cerrará	cerraremos	cerrarán
contaré	contarás	contará	contaremos	contarán
decidiré	decidirás	decidirá	decidiremos	decidirán
esperaré	esperarás	esperará	esperaremos	esperarán
estaré	estarás	estará	estaremos	estarán
ganaré	ganarás	ganará	ganaremos	ganarán
iré	irás	irá	iremos	irán
leeré	leerás	leerá	leeremos	leerán
llamaré	llamarás	llamará	llamaremos	llamarán
manejaré	manejarás	manejará	manejaremos	manejarán
pagaré	pagarás	pagará	pagaremos	pagarán
pediré	pedirás	pedirá	pediremos	pedirán
subiré	subirás	subirá	subiremos	subirán
venderé	venderás	venderá	venderemos	venderán
vestiré	vestirás	vestirá	vestiremos	vestirán
veré	verás	verá	veremos	verán

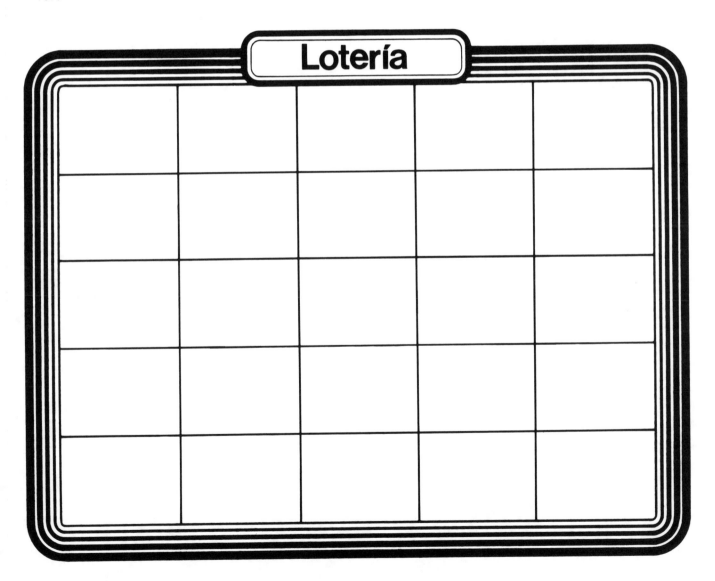

Lotería

Master 56

46. FUTURE TENSE REGULAR VERBS II

Infinitivos: abrir, caer, dar, dormir, encender, entrar, escoger, mostrar, oír, permitir, saludar, seguir, ser, soñar, visitar, viajar

abriré	abrirás	abrirá	abriremos	abrirán
caeré	caerás	caerá	caeremos	caerán
daré	darás	dará	daremos	darán
dormiré	dormirás	dormirá	dormiremos	dormirán
encenderé	encenderás	encenderá	encenderemos	encenderán
entraré	entrarás	entrará	entraremos	entrarán
escogeré	escogerás	escogerá	escogeremos	escogerán
mostraré	mostrarás	mostrará	mostraremos	mostrarán
oiré	oirás	oirá	oiremos	oirán
permitiré	permitirás	permitirá	permitiremos	permitirán
saludaré	saludarás	saludará	saludaremos	saludarán
seguiré	seguirás	seguirá	seguiremos	seguirán
seré	serás	será	seremos	serán
soñaré	soñarás	soñará	soñaremos	soñarán
visitaré	visitarás	visitará	visitaremos	visitarán
viajaré	viajarás	viajará	viajaremos	viajarán

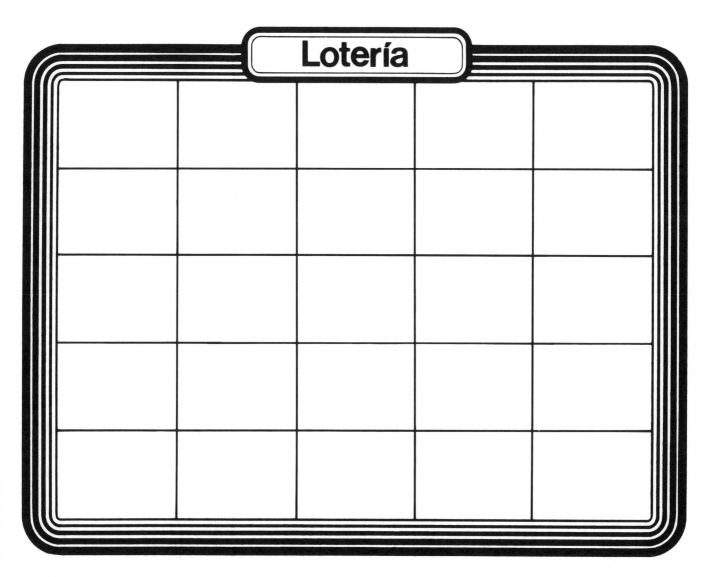

Lotería

Master 57

47. FUTURE TENSE IRREGULAR VERBS

Infinitivos: caber, convenir, decir, detener, hacer, imponer, poder, poner, predecir, querer, rehacer, saber, salir, tener, valer, venir

cabré	cabrás	cabrá	cabremos	cabrán
convendré	convendrás	convendrá	convendremos	convendrán
diré	dirás	dirá	diremos	dirán
detendré	detendrás	detendrá	detendremos	detendrán
haré	harás	hará	haremos	harán
impondré	impondrás	impondrá	impondremos	impondrán
podré	podrás	podrá	podremos	podrán
pondré	pondrás	pondrá	pondremos	pondrán
prediré	predirás	predirá	prediremos	predirán
querré	querrás	querrá	querremos	querrán
reharé	reharás	rehará	reharemos	reharán
sabré	sabrás	sabrá	sabremos	sabrán
saldré	saldrás	saldrá	saldremos	saldrán
tendré	tendrás	tendrá	tendremos	tendrán
valdré	valdrás	valdrá	valdremos	valdrán
vendré	vendrás	vendrá	vendremos	vendrán

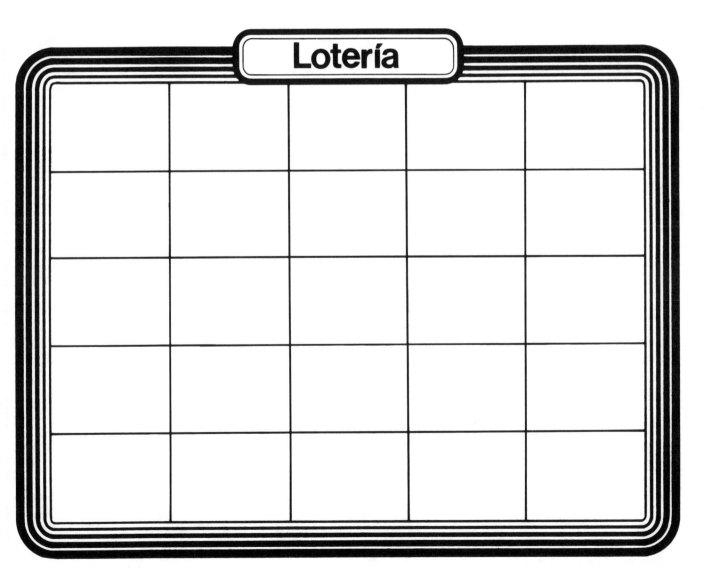

Lotería

48. FUTURE TENSE REVIEW

Infinitivos: ayudar, decir, estar, estudiar, hablar, hacer, ir, parecer, poder, querer, saber, salir, ser, tener, volver, ver

ayudaré	ayudarás	ayudará	ayudaremos	ayudarán
diré	dirás	dirá	diremos	dirán
estaré	estarás	estará	estaremos	estarán
estudiaré	estudiarás	estudiará	estudiaremos	estudiarán
hablaré	hablarás	hablará	hablaremos	hablarán
haré	harás	hará	haremos	harán
iré	irás	irá	iremos	irán
pareceré	parecerás	parecerá	pareceremos	parecerán
podré	podrás	podrá	podremos	podrán
querré	querrás	querrá	querremos	querrán
sabré	sabrás	sabrá	sabremos	sabrán
saldré	saldrás	saldrá	saldremos	saldrán
seré	serás	será	seremos	serán
tendré	tendrás	tendrá	tendremos	tendrán
volveré	volverás	volverá	volveremos	volverán
veré	verás	verá	veremos	verán

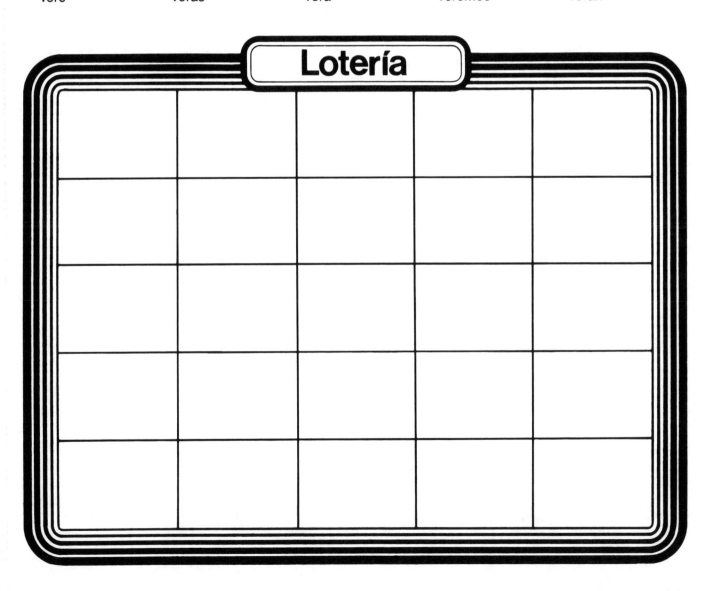

Lotería

49. CONDITIONAL TENSE REGULAR VERBS I

Infinitivos: añadir, buscar, cambiar, conocer, dar, empezar, explicar, llevar, morir, negar, oír, parecer, pensar, seguir, ser, traer

añadiría	añadirías	añadiría	añadiríamos	añadirían
buscaría	buscarías	buscaría	buscaríamos	buscarían
cambiaría	cambiarías	cambiaría	cambiaríamos	cambiarían
conocería	conocerías	conocería	conoceríamos	conocerían
daría	darías	daría	daríamos	darían
empezaría	empezarías	empezaría	empezaríamos	empezarían
explicaría	explicarías	explicaría	explicaríamos	explicarían
llevaría	llevarías	llevaría	llevaríamos	llevarían
moriría	morirías	moriría	moriríamos	morirían
negaría	negarías	negaría	negaríamos	negarían
oiría	oirías	oiría	oiríamos	oirían
parecería	parecerías	parecería	pareceríamos	parecerían
pensaría	pensarías	pensaría	pensaríamos	pensarían
seguiría	seguirías	seguiría	seguiríamos	seguirían
sería	serías	sería	seríamos	serían
traería	traerías	traería	traeríamos	traerían

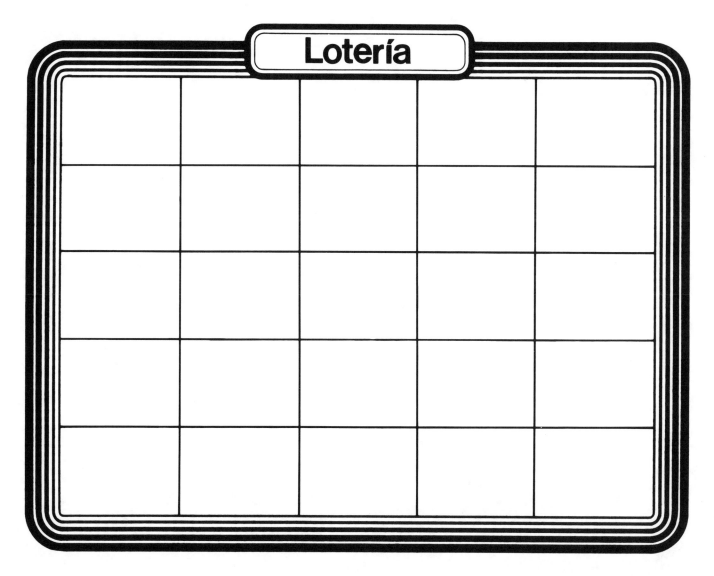

Lotería

Master 60

50. CONDITIONAL TENSE REGULAR VERBS II

Infinitivos: comprar, contestar, creer, encontrar, escribir, estar, exigir, invitar, ir, necesitar, pedir, prometer, quedar, servir, sufrir, ver

compraría	comprarías	compraría	compraríamos	comprarían
contestaría	contestarías	contestaría	contestaríamos	contestarían
creería	creerías	creería	creeríamos	creerían
encontraría	encontrarías	encontraría	encontraríamos	encontrarían
escribiría	escribirías	escribiría	escribiríamos	escribirían
estaría	estarías	estaría	estaríamos	estarían
exigiría	exigirías	exigiría	exigiríamos	exigirían
invitaría	invitarías	invitaría	invitaríamos	invitarían
iría	irías	iría	iríamos	irían
necesitaría	necesitarías	necesitaría	necesitaríamos	necesitarían
pediría	pedirías	pediría	pediríamos	pedirían
prometería	prometerías	prometería	prometeríamos	prometerían
quedaría	quedarías	quedaría	quedaríamos	quedarían
serviría	servirías	serviría	serviríamos	servirían
sufriría	sufrirías	sufriría	sufriríamos	sufrirían
vería	verías	vería	veríamos	verían

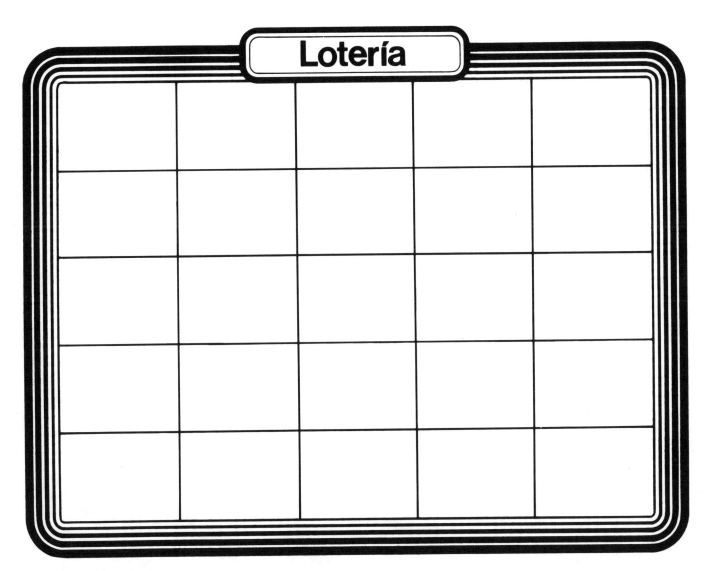

Lotería

51. CONDITIONAL TENSE IRREGULAR VERBS

Infinitivos: caber, contradecir, decir, hacer, poder, poner, posponer, provenir, querer, rehacer, saber, salir, sostener, tener, valer, venir

cabría	cabrías	cabría	cabríamos	cabrían
contradiría	contradirías	contradiría	contradiríamos	contradirían
diría	dirías	diría	diríamos	dirían
haría	harías	haría	haríamos	harían
podría	podrías	podría	podríamos	podrían
pondría	pondrías	pondría	pondríamos	pondrían
pospondría	pospondrías	pospondría	pospondríamos	pospondrían
provendría	provendrías	provendría	provendríamos	provendrían
querría	querrías	querría	querríamos	querrían
reharía	reharías	reharía	reharíamos	reharían
sabría	sabrías	sabría	sabríamos	sabrían
saldría	saldrías	saldría	saldríamos	saldrían
sostendría	sostendrías	sostendría	sostendríamos	sostendrían
tendría	tendrías	tendría	tendríamos	tendrían
valdría	valdrías	valdría	valdríamos	valdrían
vendría	vendrías	vendría	vendríamos	vendrían

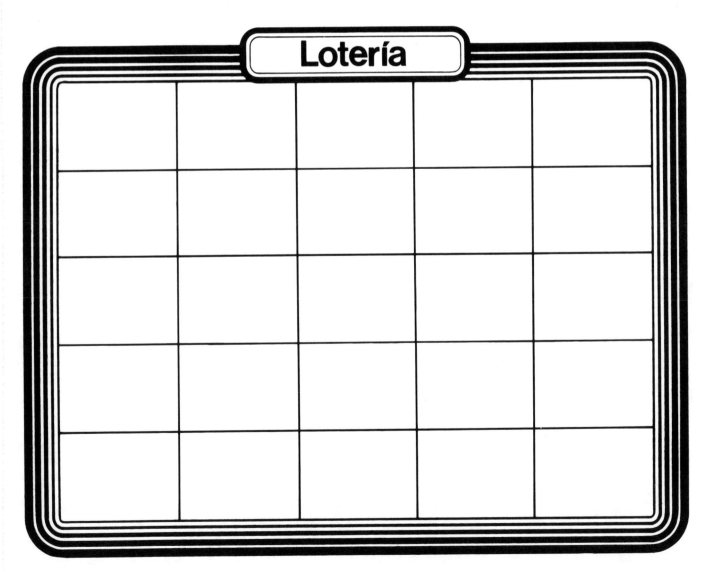

Lotería

Master 62

52. CONDITIONAL TENSE REVIEW

Infinitivos: bajar, dar, decir, estudiar, hacer, insistir, ir, llegar, llamar, parecer, poner, querer, sufrir, tener, venir, visitar

bajaría	bajarías	bajaría	bajaríamos	bajarían
daría	darías	daría	daríamos	darían
diría	dirías	diría	diríamos	dirían
estudiaría	estudiarías	estudiaría	estudiaríamos	estudiarían
haría	harías	haría	haríamos	harían
insistiría	insistirías	insistiría	insistiríamos	insistirían
iría	irías	iría	iríamos	irían
llegaría	llegarías	llegaría	llegaríamos	llegarían
llamaría	llamarías	llamaría	llamaríamos	llamarían
parecería	parecerías	parecería	pareceríamos	parecerían
pondría	pondrías	pondría	pondríamos	pondrían
querría	querrías	querría	querríamos	querrían
sufriría	sufrirías	sufriría	sufriríamos	sufrirían
tendría	tendrías	tendría	tendríamos	tendrían
vendría	vendrías	vendría	vendríamos	vendrían
visitaría	visitarías	visitaría	visitaríamos	visitarían

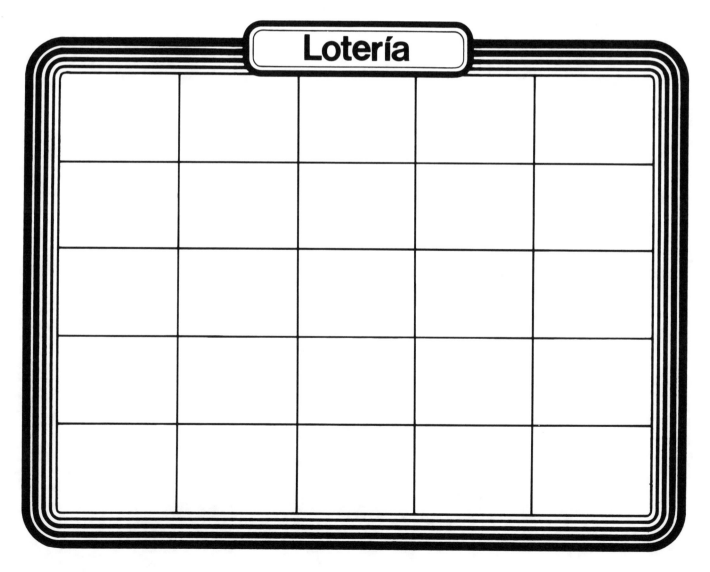

Lotería

Master 63

53. -AR VERB REVIEW IN FIVE TENSES

Infinitivos: ayudar, buscar, cambiar, caminar, comprar, desear, escuchar, estudiar, explicar, ganar, hablar, necesitar, pasar, preparar, trabajar, viajar

ayuda	ayudó	ayudaba	ayudará	ayudaría
busca	buscó	buscaba	buscará	buscaría
cambia	cambió	cambiaba	cambiará	cambiaría
camina	caminó	caminaba	caminará	caminaría
compra	compró	compraba	comprará	compraría
desea	deseó	deseaba	deseará	desearía
escucha	escuchó	escuchaba	escuchará	escucharía
estudia	estudió	estudiaba	estudiará	estudiaría
explica	explicó	explicaba	explicará	explicaría
gana	ganó	ganaba	ganará	ganaría
habla	habló	hablaba	hablará	hablaría
necesita	necesitó	necesitaba	necesitará	necesitaría
pasa	pasó	pasaba	pasará	pasaría
prepara	preparó	preparaba	preparará	prepararía
trabaja	trabajó	trabajaba	trabajará	trabajaría
viaja	viajó	viajaba	viajará	viajaría

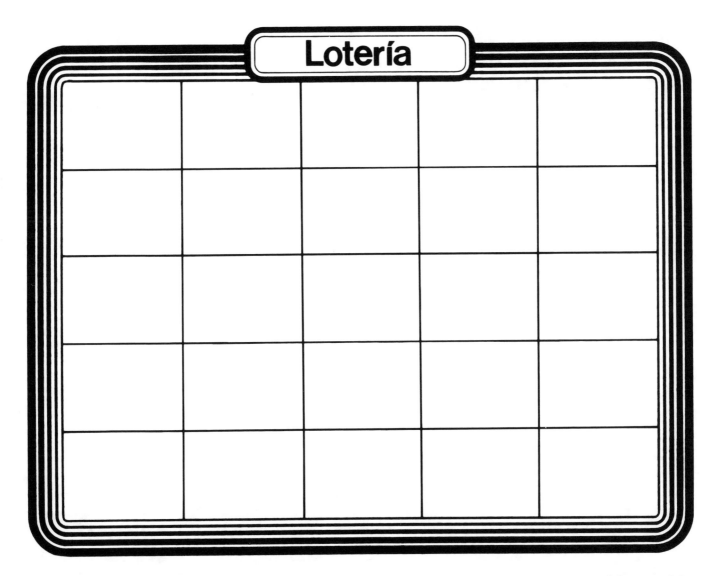

Lotería

Master 64

54. *-IR* AND *-ER* VERB REVIEW IN FIVE TENSES

Infinitivos: abrir, aprender, asistir, comer, conocer, esconder, escribir, insistir, parecer, permitir, pretender, sufrir, suspender, temer, vender, vivir

abren	abrieron	abrían	abrirán	abrirían
aprenden	aprendieron	aprendían	aprenderán	aprenderían
asisten	asistieron	asistían	asistirán	asistirían
comen	comieron	comían	comerán	comerían
conocen	conocieron	conocían	conocerán	conocerían
esconden	escondieron	escondían	esconderán	esconderían
escriben	escribieron	escribían	escribirán	escribirían
insisten	insistieron	insistían	insistirán	insistirían
parecen	parecieron	parecían	parecerán	parecerían
permiten	permitieron	permitían	permitirán	permitirían
pretenden	pretendieron	pretendían	pretenderán	pretenderían
sufren	sufrieron	sufrían	sufrirán	sufrirían
suspenden	suspendieron	suspendían	suspenderán	suspenderían
temen	temieron	temían	temerán	temerían
venden	vendieron	vendían	venderán	venderían
viven	vivieron	vivían	vivirán	vivirían

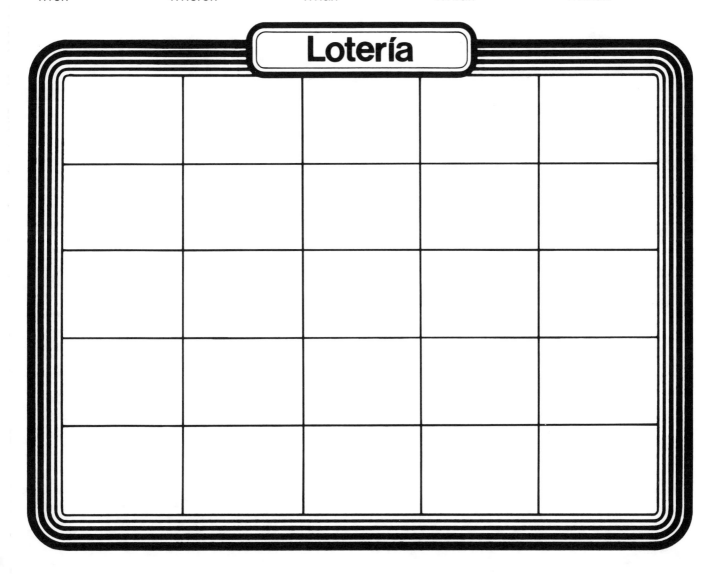

Lotería

Master 65

55. IRREGULAR VERB REVIEW IN FIVE TENSES

Infinitivos: caer, dar, decir, estar, hacer, ir, oír, poder, poner, querer, saber, ser, tener, traer, venir, ver

caigo	caí	caía	caeré	caería
doy	di	daba	daré	daría
digo	dije	decía	diré	diría
estoy	estuve	estaba	estaré	estaría
hago	hice	hacía	haré	haría
voy	fui	iba	iré	iría
oigo	oí	oía	oiré	oiría
puedo	pude	podía	podré	podría
pongo	puse	ponía	pondré	pondría
quiero	quise	quería	querré	querría
sé	supe	sabía	sabré	sabría
soy	fui	era	seré	sería
tengo	tuve	tenía	tendré	tendría
traigo	traje	traía	traeré	traería
vengo	vine	venía	vendré	vendría
veo	vi	veía	veré	vería

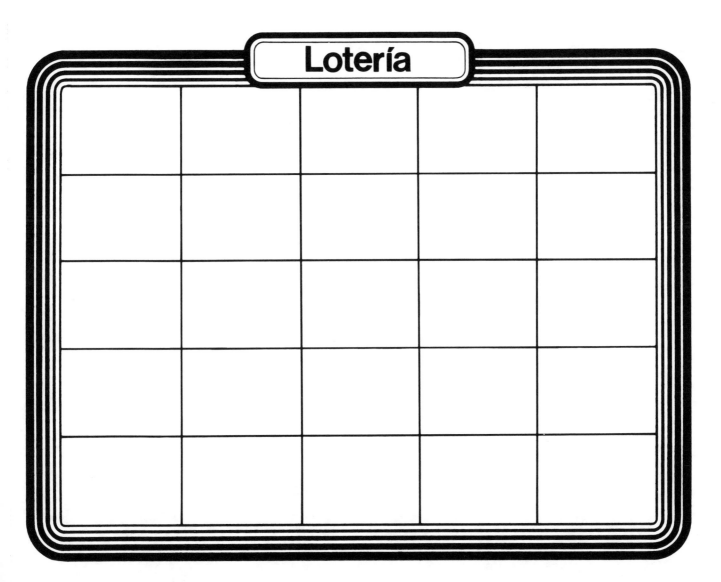

Lotería

56. GENERAL FIVE TENSE REVIEW I

Infinitivos: aprender, contar, decir, empezar, escribir, estudiar, hablar, hacer, ir, llegar, querer, ser, tener, vivir, viajar, volver

aprendes	aprendiste	aprendías	aprenderás	aprenderías
cuentas	contaste	contabas	contarás	contarías
dices	dijiste	decías	dirás	dirías
empiezas	empezaste	empezabas	empezarás	empezarías
escribes	escribiste	escribías	escribirás	escribirías
estudias	estudiaste	estudiabas	estudiarás	estudiarías
hablas	hablaste	hablabas	hablarás	hablarías
haces	hiciste	hacías	harás	harías
vas	fuiste	ibas	irás	irías
llegas	llegaste	llegabas	llegarás	llegarías
quieres	quisiste	querías	querrás	querrías
eres	fuiste	eras	serás	serías
tienes	tuviste	tenías	tendrás	tendrías
vives	viviste	vivías	vivirás	vivirías
viajas	viajaste	viajabas	viajarás	viajarías
vuelves	volviste	volvías	volverás	volverías

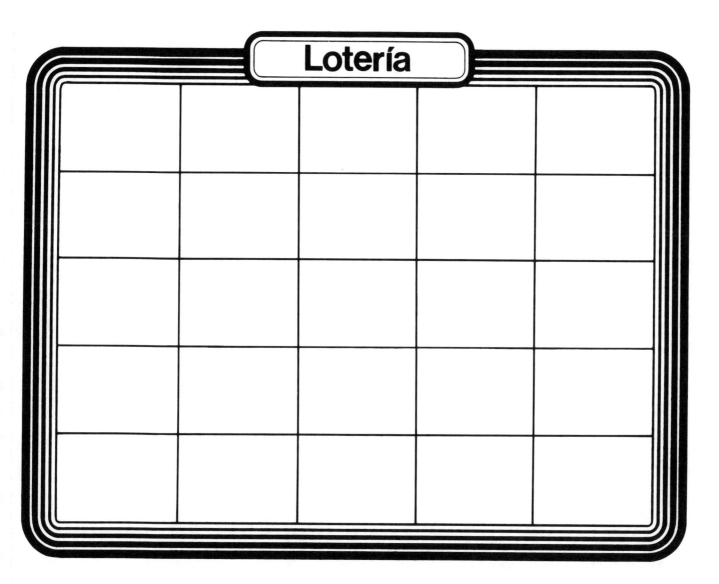

Lotería

57. GENERAL FIVE TENSE REVIEW II

Infinitivos: ayudar, cerrar, comprar, dormir, encontrar, estar, leer, llevar, perder, poder, repetir, seguir, trabajar, traer, vender, venir

ayuda	ayudó	ayudaba	ayudará	ayudaría
cierra	cerró	cerraba	cerrará	cerraría
compra	compró	compraba	comprará	compraría
duerme	durmió	dormía	dormirá	dormiría
encuentra	encontró	encontraba	encontrará	encontraría
está	estuvo	estaba	estará	estaría
lee	leyó	leía	leerá	leería
lleva	llevó	llevaba	llevará	llevaría
pierde	perdió	perdía	perderá	perdería
puede	pudo	podía	podrá	podría
repite	repitió	repetía	repetirá	repetiría
sigue	siguió	seguía	seguirá	seguiría
trabaja	trabajó	trabajaba	trabajará	trabajaría
trae	trajo	traía	traerá	traería
vende	vendió	vendía	venderá	vendería
viene	vino	venía	vendrá	vendría

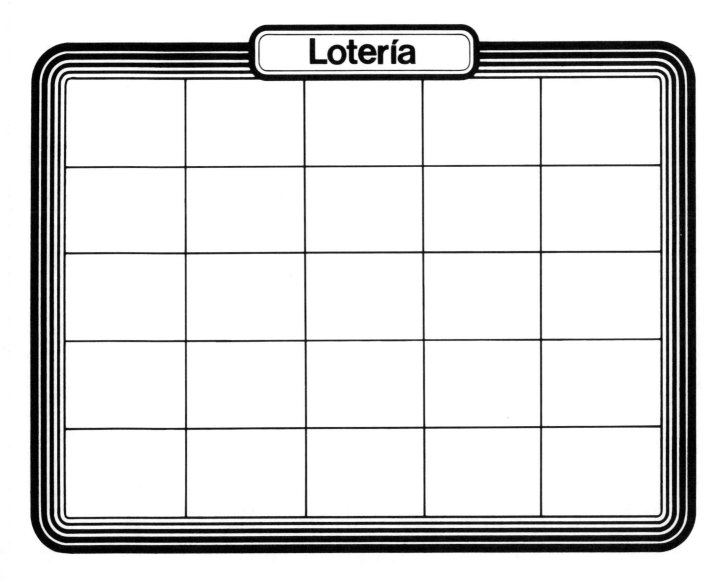

Lotería